Les Lectures ELI présentent une gamme complète de publications allant des histoires contemporaines et captivantes aux émotions éternelles des grands classiques. Elles s'adressent aux lecteurs de tout âge et sont divisées en trois collections : Lectures ELI Poussins, Lectures ELI Juniors et Lectures ELI Seniors. Outre leur grande qualité éditoriale, les Lectures ELI fournissent un support didactique facile à gérer et capturent l'attention des lecteurs avec des illustrations ayant un fort impact artistique et visuel.

La certification du Conseil de la bonne gestion forestière ou FSC certifie que les coupes forestières pour la production du papier utilisé pour ces publications ont été effectuées de manière responsable grâce à des pratiques forestières respectueuses de l'environnement.

Cette collection de lectures choisies et graduées = 5000 arbres plantés.

Alexandre Dumas

Le comte de Monte-Cristo

Adaptation libre et activités : Pierre Hauzy

Illustrations : Giorgio Baroni

Le Comte de Monte-Cristo
Alexandre Dumas
Adaptation libre et activités : Pierre Hauzy
Illustrations : Giorgio Baroni

ELI Readers
Création de la collection et coordination éditoriale
Paola Accattoli, Grazia Ancillani, Daniele Garbuglia (Directeur artistique)

Conception graphique
Sergio Elisei

Production Manager
Francesco Capitano

Mise en page
Romina Duranti

Responsable de production
Francesco Capitano

Crédits photographiques
Shutterstock, Getty Images, Corbis

B.P. 6 - 62019 Recanati - Italie
Tél. +39 071 750701
Fax +39 071 977851
info@elionline.com
www.elionline.com

Police de caractéres 11,5 / 15 points Monotype Dante

Achevé d'imprimer en Italie par Tecnostampa Recanati
ERT306.01
ISBN 978-88-536-0555-9

Première édition Février 2010

www.elireaders.com

Sommaire

Les épisodes enregistrés sur cédé sont signalés par les symboles :
Début ▶ **Fin** ■

LES PERSONNAGES PRINCIPAUX

EDMOND DANTÈS
Second capitaine du navire marchand le Pharaon. Il est, depuis son enfance, habitué à lutter avec le danger.

DANGLARS
Comptable à bord du Pharaon. Il est obséquieux envers ses supérieurs et insolent envers ses subordonnés.

CADEROUSSE
Voisin du père d'Edmond Dantès à Marseille. C'est un hypocrite dont les lèvres disent une chose tandis que le cœur en pense une autre.

FERNAND
Cousin de Mercédès et catalan comme elle,
il est impulsif et ombrageux.

GÉRARD DE VILLEFORT
Fils d'un révolutionnaire de 1789, devenu sénateur sous l'Empire ; il a renié son père pour faire carrière dans la magistrature.

MERCÉDÈS
Fiancée d'Edmond Dantès. D'origine espagnole, c'est une jeune fille pauvre qui n'a d'autre famille que son cousin Fernand qu'elle aime comme un frère.

ACTIVITÉS DE PRÉ-LECTURE

Repères

1 **Le comte de Monte-Cristo a été achevé en 1844 et publié d'abord en feuilleton dans le *Journal des débats* entre le 28 août 1844 et le 15 janvier 1846. La France était alors :**

☐ un empire ☐ un royaume ☐ une république

2 **L'action se déroule dans plusieurs lieux et villes de France et du pourtour méditerranéen ; place-les correctement sur la carte :**

☐ Marseille
☐ Le château d'If
☐ Constantinople
☐ Rome
☐ L'île d'Elbe
☐ L'île de Monte-Cristo
☐ Paris

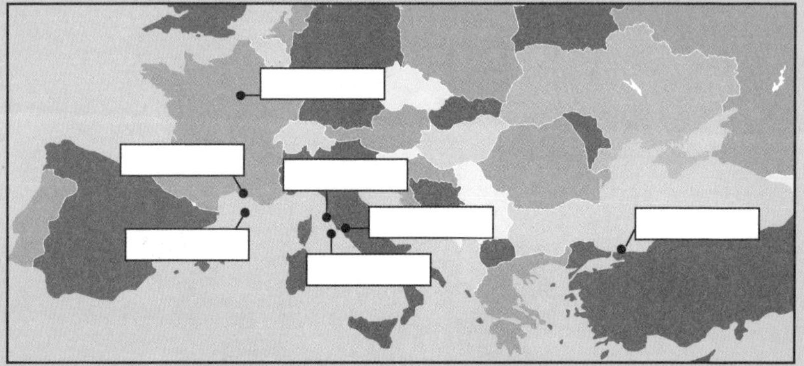

3 **L'époque du récit se situe entre 1815 et 1838; trois rois se sont succédé durant cette période ; dans quel ordre ?**

☐ Charles X ☐ Louis XVIII ☐ Louis-Philippe

4 **Quelques jours à peine après le début du roman, le 1er mars 1815, Napoléon quitte l'île d'Elbe et rentre à Paris acclamé par la foule. Le frère du roi Louis XVI, guillotiné pendant la Révolution (21 janvier 1793), est obligé de s'enfuir avant de revenir plus tard. Combien de temps plus tard ?**

☐ Un mois ☐ Cent jours (du 1-03-1815 au 18-06-1815).
☐ Un an ☐ Plus

5 a Complète la grille à l'aide des définititions
(H = horizontalement - V = verticalement - D = diagonalement)

HC4. S'enfuir d'une prison.
HC6. Punir quelqu'un du mal qu'il nous a fait.
HC8. Enfermé dans une prison.
HD2. Action de revenir à son point de départ.
HE11. Plusieurs fois 365 jours.
VA1. Projet secret entre plusieurs personnes dans l'intention de nuire à quelqu'un.
VK1. Espion.
VL10. Terre entièrement entourée d'eau.
DA8. Agglomération urbaine.
DA9. Le contraire de 'tôt'.

	A	B	C	D	E	F	G	H	I	J	K	L
1												
2												
3												
4												
5												
6												
7												
8												
9												
10												
11												
12												

b Complète à présent la présentation du roman en insérant correctement dans le texte les mots de la grille.

De __________ à Marseille, sa __________ natale, Edmond Dantès est victime d'un __________ . Accusé d'être un __________ bonapartiste, il est arrêté et __________ au Château d'If, une petite __________ au large de Marseille. Bien des __________ plus __________, il parvient à __________ et décide de __________ .

Chapitre 1

Les belles espérances

▶ 2 24 février 1815. Napoléon Ier a abdiqué un an plus tôt et vit en exil sur l'île d'Elbe. Les Anglais ont le contrôle de l'île, aucun navire ne peut s'en approcher. En France, le retour de la monarchie est mal perçu par la population qui est en grande partie restée fidèle à Napoléon et aux acquis de la Révolution. Les temps sont troubles, les agents du roi font la chasse aux bonapartistes ; l'ancienne noblesse, rentrée au pays après 20 ans d'exil, et n'ayant retrouvé ni ses châteaux ni ses terres, veut prendre sa revanche* sur le peuple. C'est la Restauration.

Edmond Dantès, jeune officier de marine, est de retour après un long voyage au Moyen-Orient à bord du *Pharaon*, le navire de l'armateur Morrel. Pendant le voyage, Il a dû remplacer le capitaine Leclère, décédé d'une mauvaise fièvre. C'est donc lui qui ramène le *Pharaon* dans le port de Marseille. Mais si lentement et d'une allure* si triste que la foule qui assiste à la manœuvre se demande quel accident peut bien être arrivé à bord. Inquiet, l'armateur saute dans une barque et rejoint le bâtiment.

– Pourquoi êtes-vous tous si tristes ? demande-t-il à Edmond. Est-ce qu'il est arrivé quelque chose à ma cargaison ?

– Non, Monsieur. Rassurez-vous. C'est le pauvre capitaine Leclère…

– Où est-il, je ne le vois pas ?

– Hélas, Monsieur, Il est mort pendant le voyage. En tant que second officier, j'ai pris le commandement du navire.

revanche vengeance (se venger).

allure manière de se déplacer.

– Et ma cargaison ?

– Elle est en parfait état, Monsieur. Demandez à votre comptable, Danglars, il vous le confirmera.

– Très bien, Dantès, dit alors Morrel, rassuré. La mort du capitaine est une triste nouvelle en effet, mais je vois que vous le remplacez très bien. Je compte sur vous pour mon prochain voyage. Le *Pharaon* a besoin d'un nouveau capitaine.

Dantès est au comble du bonheur, cette promotion est la chance de sa vie ; grâce à elle il va pouvoir subvenir aux besoins de son vieux père et épouser Mercédès, la belle catalane dont il est follement amoureux. Mais ce bonheur suscite beaucoup de jalousie. À commencer par Danglars, le comptable du bateau qui brigue* lui aussi le poste de capitaine du *Pharaon*. Les deux hommes ne s'apprécient guère, autant Dantès est aimé de l'équipage, autant Danglars en est-il haï* ; c'est un homme sournois et méchant, un arriviste que la réussite d'Edmond exaspère.

– Eh bien, Danglars, un voyage qui finit bien, n'est-ce pas ? s'exclame Morrel en apercevant le comptable du *Pharaon*.

– Certainement, Monsieur Morrel. Même si nous avons perdu deux jours à l'île d'Elbe. Les Anglais auraient pu confisquer votre navire et faire prisonnier votre équipage.

– Mais pourquoi diable y êtes-vous allés ?

– C'est à Dantès qu'il faut le demander, à la mort du capitaine Leclère, il a pris le commandement du navire sans me consulter.

– En tant que second officier, c'était son devoir ; quant à aller à l'île d'Elbe, il avait certainement de bonnes raisons.

« Je les connais ses bonnes raisons, murmure Danglars en regardant Morrel s'éloigner. »

De retour sur le pont, l'armateur interpelle Dantès :

haï détesté.

qui brigue qui désire.

– Pourquoi êtes-vous allé à l'île d'Elbe. Ne savez-vous pas que c'est interdit ?

– Si, Monsieur Morrel, mais je n'ai fait qu'obéir aux ordres du pauvre capitaine Leclère. Avant de mourir, il m'a remis un paquet et une lettre pour l'empereur.

– L'avez-vous donc vu, Edmond ?

– Qui ?

– Napoléon.

– Oui.

Morrel regarde autour de lui, et tire Dantès à part.

– Et comment va l'Empereur ? demande-t-il vivement de peur qu'on ne l'entende.

– Bien, autant que j'aie pu en juger par mes yeux. Il m'a même parlé de vous, et de votre oncle Policar Morrel qui a servi dans le même régiment que lui, à Valence.

– C'est vrai, dit l'armateur, mon oncle est un vrai grognard*. Bon, vous avez bien fait, Dantès, quoique si l'on savait que vous avez remis un paquet à l'empereur, cela pourrait vous compromettre. Surtout, n'en parlez à personne : le *Pharaon* a besoin de son capitaine.

– Repartons-nous bientôt, Monsieur ? demande Danglars qui s'était lentement rapproché de Morrel pendant qu'Edmond veillait à la manœuvre.

– Dans trois mois. Quant à l'île d'Elbe, tout est réglé. Soyez sans crainte.

– Dantès vous a donc parlé de la lettre ?

– Quelle lettre ? De quoi parlez-vous ? demande Morrel qui feint* de ne pas comprendre pour ne pas trahir Dantès.

– Ah ? Je croyais. Mais c'est sans importance, n'en parlons plus.

Descendu à terre, Edmond se précipite chez son père et lui annonce la bonne nouvelle.

grognard surnom des soldats de Napoléon.

feint fait semblant.

– Que le Seigneur me pardonne, dit le jeune homme, de me réjouir d'un bonheur fait avec le deuil* d'une famille ! Le brave capitaine Leclère est mort, mon père, et il est probable que, par la protection de Morrel, je vais avoir sa place. Comprenez-vous, mon père ? Capitaine à vingt ans !

– Oui, mon fils, oui, en effet, dit le vieillard, c'est heureux.

– Je veux que du premier argent que je toucherai vous ayez une petite maison, avec un jardin ... Mais, qu'avez-vous donc, on dirait que vous vous sentez mal ?

– Ce n'est rien, c'est l'émotion dit le père Dantès.

– Sans doute, réplique Edmond, mais vous êtes bien pâle, un verre de vin vous fera du bien.

Edmond se précipite dans la cuisine et découvre consterné que son pauvre père manque de tout : ni pain, ni vin, rien, aucune nourriture : le buffet est désespérément vide.
De retour dans la pièce auprès du vieillard :

– Avez-vous manqué* d'argent, mon père ?

– Je n'ai manqué de rien, puisque te voilà, dit le vieillard.

– Je vous avais pourtant laissé deux cents francs il y a trois mois, en partant, dit Edmond.

– Oui, oui, Edmond, c'est vrai ; mais tu avais oublié en partant une petite dette chez le voisin Caderousse ; il me l'a rappelée, en me disant que si je ne payais pas pour toi il irait se faire payer chez Morrel. Alors, tu comprends, j'ai eu peur que cela te fasse du tort ... J'ai préféré payer pour toi.

– Mais, c'était cent quarante francs que je devais à Caderousse ! Et vous les avez donnés sur les deux cents francs que je vous avais laissés ? De sorte que* vous avez vécu trois mois avec soixante francs !

– Tu sais combien il me faut peu de chose, dit le vieillard.

deuil douleur causée par la mort d'un proche.
avez-vous manqué n'aviez-vous plus d'argent.
de sorte que si bien que, en conséquence de quoi.

– Oh ! mon Dieu, mon Dieu, pardonnez-moi ! s'écrie Edmond. Cela n'arrivera plus. Tenez, père, prenez, prenez, et envoyez chercher tout de suite quelque chose, dit-il en vidant sur la table ses poches d'où sortent une douzaine de pièces d'or.

– Doucement, doucement, dit le vieillard : si l'on me voyait acheter trop de choses à la fois, on pourrait croire que j'ai été obligé d'attendre ton retour pour les acheter.

– Faites comme vous voudrez ; mais, avant toutes choses, prenez une servante ; je ne veux plus que vous restiez seul. Et maintenant, pardonnez-moi, mais j'ai hâte* de retrouver Mercédès.

– Caderousse ! Entrez donc cher ami. Vous êtes venu voir Edmond, n'est-ce pas ? dit le vieux Dantès en apercevant un homme à la porte restée ouverte.

Caderousse, le voisin du père Dantès est un homme de vingt-cinq vingt-six ans à la tête noire et barbue, tailleur d'habits de profession.

– Eh ! te voilà donc revenu, Edmond ? dit-il avec un fort accent marseillais.

– Comme vous voyez, voisin Caderousse, et prêt à vous être agréable en quelque chose que ce soit, répond Dantès en dissimulant mal sa froideur à l'égard de cet homme dont les lèvres disent une chose tandis que le cœur en pense une autre.

– Merci, merci ; heureusement, je n'ai besoin de rien, et ce sont même quelquefois les autres qui ont besoin de moi. Je ne te dis pas cela pour toi, Edmond ; je t'ai prêté de l'argent, ton père me l'a rendu ; cela se fait entre bons voisins, et nous sommes quittes*.

– On n'est jamais quittes envers ceux qui nous ont aidés, dit Dantès, car lorsqu'on ne leur doit plus l'argent, on leur doit la reconnaissance.

– Ce bon Caderousse, dit le vieillard, il nous aime tant.

J'ai hâte je veux vite.
nous sommes quittes tu ne me dois plus rien.

– Alors, il paraît que tu deviens riche, garçon ? dit le tailleur en jetant un regard oblique sur la poignée d'or et d'argent restée sur la table.

– Vous vous trompez, Caderousse, dit Edmond qui a remarqué le regard de convoitise* de son voisin, cet argent appartient à mon père : il a vidé sa bourse sur la table devant moi pour me prouver qu'il n'avait eu besoin de rien pendant mon absence.

– Ah, je croyais … On m'a dit au port que tu allais être nommé capitaine, alors …

– Ce n'est pas encore fait répond Dantès, pressé d'en finir avec ce voisin trop curieux à son goût.

– Cela se fera, dit Caderousse. Je lis le bonheur dans tes yeux. Comme se fera aussi ton mariage avec la belle Mercédès.

– Mais si nous devons encore nous fiancer ! s'exclame Edmond en riant.

– Qui t'en empêche, maintenant que te voilà presque capitaine.

– Justement, dit Edmond, j'allais rejoindre Mercédès lorsque vous êtes arrivé.

– Alors qu'attends-tu, dépêche-toi ! Et mariez-vous le plus tôt possible, crois-moi ! Mercédès est une belle fille, et les belles filles ne manquent pas d'amoureux ; celle-là surtout, elle est toujours accompagnée d'un jeune homme de ton âge.

– J'y vais, dit Fernand avec un sourire qui dissimule mal son inquiétude.

Il embrasse son père, salue d'un signe de la tête son voisin Caderousse et sort sans ajouter un mot. « Caderousse est un hypocrite qui rend service quand ça l'arrange ; n'empêche, il a tout de même été bon pour moi », murmure Edmond en quittant la maison de son père.

Pendant ce temps, dans sa petite maison au village des Catalans, Mercédès, fait face aux insistances de Fernand Mondego, son cousin,

convoitise désir de posséder quelque chose qui appartient à autrui.

éperdument amoureux d'elle. Les Catalans, comme on les appelle à Marseille, sont les lointains descendants d'une colonie d'Espagnols arrivés par la mer il y a trois ou quatre siècles sans que personne ne sache d'où ils venaient exactement ni pourquoi ils avaient quitté leur patrie. Depuis, ils sont demeurés* fidèles au petit promontoire que la commune de Marseille leur avait donné, sans se mêler en rien à la population, se mariant entre eux, et conservant les mœurs et le costume de leur mère patrie, comme ils en ont conservé le langage.

– Voyons, Mercédès, dit Fernand, voici Pâques qui va revenir, c'est le moment de faire une noce, répondez-moi !

– Je vous ai répondu cent fois, Fernand, pourquoi me le demandez-vous encore ?

– Eh bien, répétez-le encore pour que j'arrive à le croire. Dites-moi pour la centième fois que vous refusez mon amour.

– Je vous aime comme un frère, mais mon cœur est à un autre.

– Oui, je le sais bien, Mercédès, mais oubliez-vous que c'est parmi les Catalans une loi sacrée de se marier entre eux ?

– Ce n'est pas une loi, c'est une habitude, voilà tout ; et puis vous allez bientôt devoir partir, Fernand ; une fois soldat, que ferez-vous d'une pauvre fille orpheline, triste, sans fortune. Depuis un an que ma mère est morte, je vis presque de la charité publique ! Contentez vous de mon amitié, puisque je ne puis vous donner autre chose.

Le jeune Catalan serre les poings dans un geste de rage.

– Ne vous en prenez pas à lui, Fernand, à quoi cela vous avancera-t-il ? Croyez-moi, chercher querelle* à un homme est un mauvais moyen de plaire à la femme qui aime cet homme.

– Voyons, Mercédès, dit-il, encore une fois répondez : c'est votre dernier mot ?

demeurés restés.

chercher querelle s'en prendre à.

– J'aime Edmond Dantès, dit froidement la jeune fille.

– Mais s'il est mort ? Vous savez combien la mer est cruelle … Ou s'il vous oublie ?

– Mercédès ! Mercédès !

C'est la voix d'Edmond qui arrive en courant. La jeune fille s'élance vers la porte et se jette dans les bras de son fiancé.

– Tu vois bien qu'il ne m'a pas oubliée, dit-elle en s'adressant à Fernand.

– Qui est ce monsieur ? demande Fernand à Mercédès.

– C'est mon cousin, Fernand, c'est-à-dire l'homme qu'après vous, Edmond, j'aime le plus au monde.

Alors, Edmond se tourne vers le jeune homme et lui tend cordialement la main. Mais Fernand, fou de jalousie s'élance hors de la maison et part en courant.

– Je n'imaginais pas en venant ici y trouver un ennemi ! dit Edmond en regardant Mercédès, émue et tremblante.

– Fernand ne sera jamais votre ennemi, Edmond ; il m'aime comme une sœur, il ne vous fera jamais de mal.

– Je vous crois, Mercédès. Et je vous aime. Mais laissons cela et réjouissez-vous car nous allons pouvoir nous marier.

– Quand ? lui demande Mercédès qui n'ose y croire.

– Mais le plus tôt possible, mon amour. Le capitaine du *Pharaon* est mort pendant le voyage et monsieur Morrel a promis de me nommer capitaine à sa place. Demain, nos fiançailles …

– Et la noce ? demande encore Mercédès.

– Dès que je serai rentré de Paris : une dernière commission de mon pauvre capitaine, mais sois tranquille, je ne prendrai que le temps d'aller et de revenir.

ACTIVITÉS DE POST-LECTURE

Compréhension écrite

1a Remets les phrases dans l'ordre.

1 dit • **Morrel** • et lui • Dantès • le capitaine • est satisfait • du jeune • qu'il sera bientôt • du *Pharaon*.

Morrel ....

....

2 n'a fait • à un ordre • qu'obéir • Leclère. • Edmond • du capitaine • d'Elbe • **En se rendant** • à l'île

En se rendant ....

....

3 Fernand • **En arrivant** • qui ne cache • chez Mercédès • Edmond • son dépit. • pas • rencontre •

En arrivant ....

....

4 **Mais** • la jalousie • de Danglars • d'Edmond • le comptable • suscite • du bateau. • le bonheur .

Mais ....

....

5 la restitution • du père • **Caderousse** • a exigé • d'Edmond • qu'il avait • de l'argent • prêté • à son fils. • des Dantès • le voisin

Caderousse ....

....

6 c'est • le capitaine • du capitaine • lui • Leclère, • **Depuis** • du navire. • la mort.

Depuis ....

....

7 à Fernand • à l'aimer • qui s'obstine • alors qu'elle est • d'Edmond. • ne laisse • **Mercédès** • aucun espoir • amoureuse

Mercédès ....

....

8 escale • révèle • des Anglais. • à l'île • à l'armateur • **Danglars** • d'Elbe • a fait • malgré • l'interdiction • que Dantès

Danglars ....

....

9 dit • à craindre • **Mercédès** • Fernand • qu'il n'a • et lui • rien • à propos de • Edmond • rassure • de son cousin.
Mercédès ....
....

10 de • à bord • l'armateur • entre dans • le navire • du *Pharaon*, officier de marine • de Marseille • Edmond Dantès • le port • **Le jeune** • Morrel.
Le jeune ....
....

11 **Dantès** • lui permet • est fou • cette promotion • de joie • d'épouser Mercédès • sa belle fiancée.
Dantès ....
....

1b **Place-les selon l'ordre chronologie des événements.**
a .... **b** .... **c** .... **d** .... **e** .... **f** .... **g** .... **h** .... **i** .... **j** .... **k** ....

Repères

2 **Le roman d'Alexandre Dumas s'inspire d'une histoire vraie qui figure dans les archives de la police de Paris.**
Complète le texte avec les mots suivants :
Louis XVIII – meurtres – espion – cordonnier – prêtre – mariage – idée – se venger – café – jalousie.

En 1807, François Picaud, un modeste .... de Paris fait la connaissance d'une jeune aristocrate, riche et belle. Malgré leur différente condition sociale, les deux jeunes gens décident de se marier. Mais Picaud a la mauvaise .... de raconter sa bonne aventure dans le .... de son quartier. Son bonheur suscite immédiatement la .... de plusieurs clients et du patron. Dénoncé un semaine avant son ...., il est accusé d'être un .... royaliste et envoyé en prison. Sept ans plus tard, ... rentre à Paris et fait libérer tous les prisonniers royalistes. Picaud sort de prison, prend une nouvelle identité et décide de .... ; il assassine un à un ceux qui l'ont trahi avant d'être lui-même assassiné par celui qui lui avait révélé le nom de ses accusateurs. Pour les enquêteurs, ces .... resteront longtemps une énigme, et l'affaire n'aurait sans doute jamais été élucidée si l'assassin de Picaud, peu de temps avant sa mort, ne s'était confié à un .... qui avait ensuite tout raconté à la police.

Vocabulaire et production écrite

3 **Cherche dans la grille les 15 mots les plus importants du chapitre puis utilise-les pour rédiger un court résumé des événements.**

	A	B	C	D	E	F	G	H	I	J	K	L	M	N	O
1	I	H	V	C	T	A	G	W	P	L	R	U	G	M	E
2	H	E	Q	C	O	D	R	N	B	T	E	P	D	S	M
3	U	D	D	V	A	M	D	R	A	O	Y	T	E	C	P
4	V	W	S	X	O	P	P	E	I	V	N	T	T	B	E
5	H	Y	P	O	C	R	I	T	E	V	I	H	H	R	R
6	B	I	D	B	M	S	R	T	A	R	I	R	E	O	E
7	A	U	Î	D	W	U	X	J	A	B	D	S	E	U	U
8	R	H	L	D	H	L	D	I	A	I	L	E	T	L	R
9	M	P	E	K	U	Q	X	D	E	L	N	E	T	E	C
10	A	Y	X	V	W	O	T	K	G	N	O	E	U	T	W
11	T	Y	E	D	O	H	H	I	C	G	N	U	F	I	E
12	E	V	F	I	A	N	Ç	A	I	L	L	E	S	G	I
13	U	W	O	Z	Y	E	S	F	O	C	D	E	M	I	D
14	R	H	G	I	T	E	O	U	L	V	H	E	Y	I	E
15	Y	R	Z	A	M	O	U	R	E	U	X	Q	U	Y	D

....

....

....

....

....

....

....

....

....

....

....

....

ACTIVITÉ DE PRÉ-LECTURE

Grammaire du texte

4 Lis attentivement le texte puis mets-le au passé (passé simple ou imparfait).

L'ARRIVÉE DES FIANCÉS

« Le lendemain est .... un beau jour. Le soleil se lève .... pur et brillant dans le ciel en reflétant ses premiers rayons sur les pointes écumeuses des vagues.

Le repas est .... à midi, mais dès onze heures du matin, les marins du *Pharaon* et quelques soldats, amis de Dantès, attendent .... sur place l'arrivée des fiancés.

Ils arrivent .... enfin au milieu des bravos des convives. Dantès est .... simplement vêtu. Appartenant à la marine marchande, il a .... un habit entre l'uniforme militaire et le costume civil. Mercédès est .... belle comme une de ces Grecques de Chypre ou de Céos, aux yeux d'ébène et aux lèvres de corail. Elle marche .... de ce pas libre et franc qu'ont les Arlésiennes et les Andalouses. Une fille des villes aurait peut-être essayé de cacher sa joie sous un voile ou tout au moins sous le velours de ses paupières, mais Mercédès sourit .... et regarde .... tous ceux qui l'entourent .... et son sourire et son regard disent .... aussi franchement qu'auraient pu le dire ses paroles : Si vous êtes mes amis, réjouissez-vous avec moi, car, en vérité, je suis bien heureuse ! »

Chapitre 2

Le complot

▶ 3 Le spectacle de Mercédès tendrement enlacée* à Edmond avait été pour Fernand un supplice insupportable. Fou de rage, il s'était enfui en courant sans rien voir autour de lui, le regard perdu dans ses sombres pensées.

– Fernand ! Où cours-tu si vite ? dit une voix.

– Tu es si pressé que tu ne reconnais pas tes amis ?

C'est la voix de Caderousse. En face de lui, attablé* devant une bouteille de vin, Danglars. Les deux hommes s'étaient rencontrés sur le port et avaient décidé d'aller du côté des Catalans. « Pour en savoir plus ! » avait dit Caderousse. Assis à la terrasse d'une auberge, ils avaient vu Dantès se diriger vers la maison de Mercédès. Les deux prétendants allaient se trouver face à face : lequel des deux aurait les faveurs de la belle catalane ? Voyant Fernand s'éloigner précipitamment des Catalans, ils avaient compris que la jeune fille lui avait préféré Edmond.

– Danglars, Caderousse ? Que faites-vous donc ici ? dit Fernand en les voyant.

– Je t'ai appelé parce que tu courais comme un fou, dit Caderousse en lui versant un verre de vin.

– Veux-tu que je te dise, Fernand, tu as l'air d'un amant éconduit* !

– Et après ? dit le jeune homme en regardant fixement Caderousse,

enlacée serrée entre les bras de.
attablé assis devant une table.
éconduit repoussé.

Mercédès ne dépend de personne, n'est-ce pas ? Elle est bien libre d'aimer qui elle veut.

– Ah ! si tu le prends ainsi, dit Caderousse, c'est autre chose ! Et à quand la noce ? demande-t-il.

– Oh ! elle n'est pas encore faite ! dit Fernand.

– Non, mais elle se fera, dit Caderousse, aussi vrai que Dantès sera le capitaine du *Pharaon*, n'est-ce pas, Danglars ? Buvons donc au capitaine Edmond Dantès, mari de la belle Catalane !

Danglars qui avait jusque là écouté les deux hommes en silence, voit dans les yeux de Fernand le reflet de sa propre colère : à cause d'Edmond, ils ont l'un et l'autre perdu ce qui leur tenait le plus à cœur : lui le commandement du *Pharaon*, l'autre la femme qu'il aime. L'Espagnol pourrait lui être utile.

– Voilà un mariage qui ne me paraît pas faire le bonheur de tout le monde ! dit Danglars en s'adressant à Fernand.

– Il me désespère.

– Vous aimez donc Mercédès ?

– Je l'adore !

– Depuis longtemps ?

– Depuis que nous nous connaissons, je l'ai toujours aimée.

– Et vous êtes là à vous arracher* les cheveux, au lieu de chercher remède à la chose !

– Que voulez-vous que je fasse ? demande Fernand.

– Mais je n'en sais rien, moi ; ce n'est pas moi qui suis amoureux, dit Danglars en ajoutant immédiatement :

– Voyons, vous me paraissez un gentil garçon, et je veux vous aider. Écoutez-moi. Que se passerait-il s'il y avait entre Edmond et Mercédès les murailles d'une prison …

arracher s'arracher les cheveux = se désespérer.

– Pourquoi mettrait-on Dantès en prison ? s'exclame Caderousse ; il n'a ni volé, ni tué, ni assassiné.

– Tais-toi, dit Danglars, tu es ivre*.

– Pas encore ! répond Caderousse en se versant par défi un nouveau verre de vin.

– Mais le moyen, le moyen ? dit Fernand.

– Garçon, dit Danglars, une plume, de l'encre et du papier !

– Eh bien supposez, dit encore Danglars, que si, après un voyage comme celui que vient de faire Dantès, et dans lequel il a touché à Naples et à l'île d'Elbe, quelqu'un le dénonçait au procureur du roi comme agent bonapartiste ... Et, ayant obtenu ce qu'il avait demandé, il se met à écrire en lisant à voix haute la lettre :

Monsieur le procureur du roi est prévenu, par un ami du trône et de la religion, que le nommé Edmond Dantès, second du navire le* Pharaon, *arrivé ce matin de Smyrne, après avoir touché à Naples et à Porto-Ferrajo, a été chargé, par Murat*, d'une lettre pour l'usurpateur, et, par l'usurpateur, d'une lettre pour le comité bonapartiste de Paris.*
On aura la preuve de son crime en l'arrêtant, car on trouvera cette lettre ou sur lui, ou chez son père, ou dans sa cabine à bord du Pharaon.

– Mais, dit Danglars en poussant la lettre hors de la portée de sa main, ce que je dis et ce que je fais, c'est en plaisantant ; je ne voudrais pour rien au monde qu'il arrive malheur à ce bon Dantès !

Et en disant ces mots, il prend la feuille de papier, la froisse* dans ses mains et la jette.

– À la bonne heure, dit Caderousse, Dantès est mon ami, et je ne veux pas qu'on lui fasse de mal.

ivre saoûl, qui a trop bu.
Murat (Joachim) roi de Naples et beau-frère de Napoléon
trône ici, la monarchie.
froisse écrase de sa main jusqu'à en faire une boule.

– Mais personne ici ne veut faire de mal à Dantès, ni moi ni Fernand, dit Danglars en se levant et en regardant du coin de l'œil Fernand, les yeux fixés sur la lettre roulée en boule dans un coin.

– Bravo, dit Caderousse, il y a dans ce papier de quoi tuer un homme plus sûrement que si on l'attendait au coin d'un bois pour l'assassiner !

– Allons, viens, ivrogne, dit Danglars en soulevant Caderousse de sa chaise, je te raccompagne en ville.

Resté seul, Fernand se précipite sur le papier et le met dans sa poche. Quelques instants plus tard, Danglars et Caderousse voient le Catalan courir en direction de Marseille.

Le lendemain, tous les amis d'Edmond et Mercédès sont invités aux fiançailles des deux amoureux. Il y a là l'équipage du *Pharaon* et monsieur Morrel, l'armateur du navire. Le repas se déroule* dans la joie et la bonne humeur. Mais si Caderousse est sincèrement ému de voir Dantès et sa fiancée rayonnants de bonheur, Danglars ne quitte pas des yeux Fernand, très pâle, qui semble attendre quelque chose. Soudain, trois coups retentissent dans la porte de la salle :

– Au nom de la loi !

Aussitôt la porte s'ouvre, et un commissaire suivi de quatre soldats armés s'avance au milieu des convives.

– Lequel d'entre vous est Edmond Dantès ?

– C'est moi, Monsieur, que me voulez-vous ?

– Edmond Dantès, au nom de la loi, je vous arrête !

– Vous m'arrêtez ! Mais pourquoi ?

– Je l'ignore, Monsieur, mais votre premier interrogatoire vous l'apprendra.

Une fois Edmond sorti entouré par les gendarmes, les invités

se déroule se passe.

stupéfaits s'interrogent. C'est certainement une erreur, Dantès est un homme honnête, pourquoi vient-on l'arrêter ? Qu'a-t-il fait, et pourquoi aujourd'hui, le jour de ses fiançailles ? Alors que Mercédès se réfugie instinctivement près de Fernand, l'armateur essaie de consoler le père Dantès, effondré* sur sa chaise.

– Attendez-moi ici, dit l'armateur, je prends la première voiture que je rencontre, je cours à Marseille, et je vous rapporte des nouvelles.

Profitant de l'agitation qui règne dans la salle, Caderousse, se rapproche de Danglars.

– Vous m'avez trompé, Danglars ; mais je ne veux pas laisser mourir de douleur ce vieillard ni cette pauvre jeune fille, je vais tout leur dire.

– Tais-toi, malheureux ! s'écrie Danglars. Qui te dit que Dantès n'est pas véritablement coupable ? N'est-il pas descendu à l'île d'Elbe, n'y est-il pas resté un jour entier ? Si cette lettre existe et si on la trouve sur lui, ceux qui l'auraient soutenu passeraient pour ses complices.

Caderousse, comprend immédiatement : s'il parle, il est perdu lui aussi.

– Attendons, dit Danglars ; s'il est innocent, on le mettra en liberté ; s'il est coupable, il est inutile de se compromettre pour un conspirateur.

Entre temps, Morrel était revenu de Marseille. Mercédès et le vieux père d'Edmond avaient couru au devant de l'armateur.

– Eh bien, Monsieur Morrel, quelles nouvelles nous rapportez-vous ?

– La chose est plus grave que nous ne le pensions mes amis, dit Morrel ; on l'accuse d'être un agent bonapartiste. Vous savez aussi bien que moi ce que cela signifie.

effondré abattu.

À l'annonce de cette terrible accusation, tous les invités se taisent simultanément en se regardant incrédules ; seul le cri désespéré de Mercédès trouble leur silence.

Conduit au palais de justice, Dantès attend le substitut procureur du roi, Gérard de Villefort qui fête en ce moment même ses fiançailles avec Renée de Saint-Méran, fille de farouches* aristocrates, émigrés pendant la Révolution. Prévenu de la dénonciation, il quitte précipitamment la demeure de ses futurs beaux-parents et se dirige vers le palais de justice.

Comme Dantès avant son arrestation, Villefort est un homme comblé*. Riche, il occupe à vingt-sept ans une place élevée dans la magistrature et il est sur le point d'épouser une jeune fille qu'il aime et qui le rendra encore plus riche et plus influent grâce à ses parents qui ont toute la confiance du roi. Son seul souci est son père, Noirtier, lequel participa activement à la Révolution avant de devenir sénateur sous l'Empire. Mais si le père est bonapartiste, le fils, lui, est un fervent royaliste qui, pour bien marquer sa différence avec le révolutionnaire Noirtier, a changé de nom et s'appelle désormais Villefort. Malgré tous ses efforts, il reste cependant suspect aux yeux des aristocrates et doit toujours prouver sa loyauté envers le roi. « Qu'on amène le prisonnier ! dit Villefort en entrant dans son bureau. »

– Qui êtes-vous et comment vous nommez-vous ? demande-t-il à Dantès en le voyant arriver.

– Je m'appelle Edmond Dantès, Monsieur ; je suis second à bord du navire le *Pharaon*, qui appartient à MM*. Morrel et fils.

farouches intransigeants.

comblé pleinement heureux.

– Votre âge ?

– Dix-neuf ans.

– Que faisiez-vous au moment où vous avez été arrêté ?

– J'assistais au repas de mes propres fiançailles, Monsieur .

– Vous assistiez au repas de vos fiançailles ? dit le substitut en tressaillant* malgré lui.

– Oui, Monsieur, je suis sur le point d'épouser une femme que j'aime depuis trois ans.

Villefort est frappé de cette coïncidence ; la voix émue de Dantès surpris au milieu de son bonheur l'attendrit. Et puis, avec l'habitude qu'il a déjà du crime et des criminels, il voit, à chaque parole du jeune homme simple en face de lui, surgir la preuve de son innocence.

– Monsieur, vous connaissez-vous quelques ennemis ?

– Des ennemis, dit Dantès : je ne suis pas assez important pour en avoir. J'ai dix ou douze matelots* sous mes ordres : qu'on les interroge, Monsieur, et ils vous diront qu'ils m'aiment et me respectent.

– Peut-être avez-vous des jaloux : on m'a dit que vous allez être nommé capitaine à dix-neuf ans, ce qui est un poste élevé dans votre état ; vous allez épouser une jolie femme qui vous aime, ce qui est un bonheur rare ; ces deux préférences du destin ont pu vous faire des envieux.

– Oui, vous avez raison. Vous devez mieux connaître les hommes que moi, et c'est possible. Mais qui ? Je n'ai que des amis.

– Je n'en suis pas si sûr, dit Villefort. Quoi qu'il en soit, sachez que vous êtes victime d'une dénonciation. Voici le papier accusateur ; reconnaissez-vous l'écriture ?

– Non, Monsieur, je ne connais pas cette écriture, dit Dantès, elle est déguisée*.

MM Messieurs
en tressaillant en frémissant, en frissonnant.
matelots marins.
déguisée travestie, méconnaissable.

– Répondez-moi franchement, reprend Villefort, qu'y a-t-il de vrai dans cette lettre ?

– Tout et rien. En quittant Naples, le capitaine du *Pharaon* tomba gravement malade ; sentant qu'il allait mourir, il m'appela près de lui et me demanda de débarquer à Porto-Ferrajo pour remettre une lettre au grand maréchal Bertrand, le fidèle ami de Napoléon, lequel devait m'en remettre une que je devais porter en personne à Paris.

– C'est tout ? demande Villefort.

– Le lendemain, le pauvre capitaine Leclère était mort.

– Qu'avez-vous fait ensuite ?

– Mon devoir, Monsieur, dit Dantès : chez les marins, les prières d'un supérieur sont des ordres que l'on doit accomplir. Je suis donc allé à l'île d'Elbe.

– Tout cela me paraît être la vérité, dit Villefort ; et, si vous êtes coupable, c'est par imprudence ; donnez-moi cette lettre et allez rejoindre vos amis.

– Ainsi je suis libre, Monsieur ! s'écrie Dantès au comble de la joie.

– Certainement. Au fait, à qui cette lettre est-elle adressée ?

– À monsieur Noirtier, rue Coq-Héron, à Paris, répond Dantès.

En entendant prononcer le nom de son père, Villefort devient extrêmement pâle. Si l'on apprenait l'existence de cette lettre, adieu mariage, richesse, carrière. Entre condamner un innocent et risquer de voir ses belles espérances anéanties*, il choisit de sacrifier Edmond.

– Vous n'avez montré cette lettre à personne ? demande Villefort, soudain très grave.

– À personne, Monsieur, sur l'honneur !

anéanties complètement détruites.

– Tout le monde ignore que vous étiez porteur d'une lettre venant de l'île d'Elbe et adressée à ce Noirtier ?

– Tout le monde, Monsieur, excepté celui qui me l'a remise.

– Et vous ne savez pas ce que contenait cette lettre ?

– Sur l'honneur, je le répète, Monsieur, dit Dantès, je l'ignore.

Villefort s'approche alors de la cheminée et jette la lettre dans le feu. Puis, s'adressant à Edmond qui le regarde sans comprendre :

– Malheureusement, Monsieur, je suis obligé de vous retenir quelque temps encore prisonnier ; mais, croyez-moi, ce ne sera pas long. J'ai l'intention de vous aider. La principale charge qui existe contre vous c'est cette lettre, et vous voyez ce que j'en ai fait.

– Oh ! s'écrie Dantès, Monsieur, vous êtes plus que la justice, vous êtes la bonté !

– À une condition : ne parlez jamais de cette lettre. À personne, vous m'entendez ? À personne.

– Je vous le promets, Monsieur.

Villefort appelle alors le commissaire et lui dit quelques mots à l'oreille. « Suivez-moi Monsieur », ordonne le policier à Edmond.

ACTIVITÉS DE POST-LECTURE

Compréhension écrite

1a Qui a dit ... ? Indique par son initiale, l'auteur des répliques suivantes.
C = Caderousse ; D = Danglars ; E = Edmond ; F = Fernand ; M = Morrel ; V = Villefort.

_____ **1** Fernand ! Où cours-tu si vite ?
_____ **2** Mercédès ne dépend de personne ? n'est-ce pas ? Elle est bien libre d'aimer qui elle veut.
_____ **3** Voilà un mariage qui ne me paraît pas faire le bonheur de tout le monde !
_____ **4** Que voulez-vous que je fasse ?
_____ **5** Pourquoi mettrait-on Dantès en prison ?
_____ **6** Je ne voudrais pour rien au monde qu'il arrive malheur à ce bon Dantès !
_____ **7** À la bonne heure, Dantès est mon ami, et je ne veux pas qu'on lui fasse de mal.
_____ **8** Vous m'arrêtez ! Mais pourquoi ?
_____ **9** Attendez-moi ici, je prends la première voiture que je rencontre, je cours à Marseille, et je vous rapporte des nouvelles.
_____ **10** Je ne veux pas laisser mourir de douleur ce vieillard ni cette pauvre jeune fille, je vais tout leur dire.
_____ **11** S'il est innocent, on le mettra en liberté ; s'il est coupable, il est inutile de se compromettre pour un conspirateur.
_____ **12** On l'accuse d'être un agent bonapartiste. Vous savez aussi bien que moi ce que cela signifie.
_____ **13** Qui êtes-vous et comment vous nommez-vous ?
_____ **14** Monsieur, vous connaissez-vous quelques ennemis ?
_____ **15** Des ennemis, je ne suis pas assez important pour en avoir.
_____ **16** Donnez-moi cette lettre et allez rejoindre vos amis.
_____ **17** À monsieur Noirtier, rue Coq-Héron, à Paris.
_____ **18** Vous n'avez montré cette lettre à personne ?
_____ **19** À personne, Monsieur, sur l'honneur !
_____ **20** Ne parlez jamais de cette lettre. À personne, vous m'entendez ? À personne.

Vocabulaire et production écrite

2a Complète la grille avec les substantifs correspondant aux verbes suivants :

accuser arrêter comploter conspirer dénoncer	emprisonner innocenter interroger juger prouver

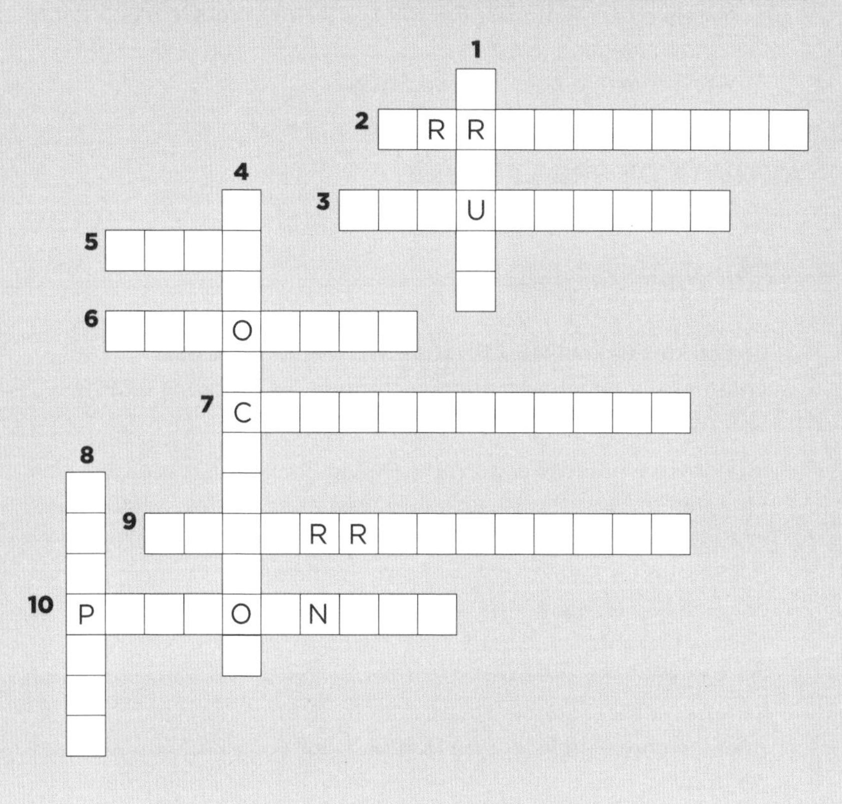

2 b Complète les phrases avec l'un des substantifs de la grille.

1 Edmond Dantès est victime d'une ....

2 C'est Danglars qui a eu l'idée du ....

3 Il a écrit une lettre de ....

4 Dantès est conduit au palais de justice en état d' ....

5 Dans son bureau, Villefort procède à l' .... de l'accusé.

6 Après avoir entendu Edmond, Villefort se dit convaincu de l' .... de l'accusé.

7 Malheureusement pour Edmond, la lettre adressée à Noirtier le condamne car elle est la .... que le père de Villefort est un agent bonapartiste.

ACTIVITÉ DE PRÉ-LECTURE

Grammaire du texte

3 Le soir des fiançailles. Lis attentivement le texte puis complète-le en y insérant correctement les pronoms relatifs QUI ou QUE.

La pauvre Mercédès avait retrouvé, au coin de la rue de la Loge, Fernand, (1) .... l'avait suivie ; elle était rentrée aux Catalans, et mourante, désespérée, elle s'était jetée sur son lit. Devant ce lit, Fernand s'était mis à genoux, et pressant sa main glacée, (2) .... Mercédès ne songeait pas à retirer, il la couvrait de baisers brûlants (3) .... Mercédès ne sentait même pas.
De son côté, Caderousse était fort inquiet et fort tourmenté : au lieu de sortir comme l'avait fait M. Morrel, au lieu d'essayer quelque chose en faveur de Dantès, pour (4) .... d'ailleurs il ne pouvait rien, il s'était enfermé avec deux bouteilles de vin de cassis (5) .... il but l'une après l'autre pour essayer de noyer son inquiétude dans l'ivresse.
Danglars, seul, n'était ni tourmenté ni inquiet ; Danglars même était joyeux, car il s'était vengé d'un ennemi et avait assuré, à bord du *Pharaon*, sa place (6) .... il craignait de perdre ; Danglars

était un de ces hommes de calcul (7) .... naissent avec une plume derrière l'oreille et un encrier à la place du coeur ; tout était pour lui dans ce monde soustraction ou multiplication, et un chiffre lui paraissait bien plus précieux qu'un homme, quand ce chiffre pouvait augmenter le total (8) .... cet homme pouvait diminuer.

Repères

4 Libéré de Dantès, Villefort était retourné chez les Saint-Méran. Accueilli par sa fiancée qui l'attendait avec impatience, il lui annonce son départ pour Paris.

- Quand ?
- À l'instant, ma chère. Une affaire de la plus haute importance.
- Que se passe-t-il, vous partez Gérard ? demande monsieur de Saint-Méran.
- Immédiatement. Il faut absolument que je parle au roi. Pouvez-vous écrire à sa Majesté pour qu'elle me reçoive?
- C'est donc si grave ?
- Je suis tenu au secret, Marquis, mais sachez que le trône est en danger.
- Venez dans mon cabinet.
- Eh bien que se passe-t-il? Pas de secrets entre nous, Gérard, parlez !
- Je viens de faire arrêter un homme chargé d'avertir un bonapartiste de Paris ...
- Qui ?
- Je l'ignore, il a refusé de me dire son nom.
- Que vous a-t-il dit ?
- Que Napoléon projette de quitter l'île d'Elbe. À cette heure, il a peut-être déjà pris la mer. Si je parviens à avertir le roi, ma fortune est faite.

5 La lettre d'introduction du marquis en poche, Villefort se rend à Paris et prévient le roi des intentions de l'usurpateur. Trop tard. Napoléon a débarqué près d'Antibes, le 1er mars et se dirige vers la capitale. Obligé de quitter précipitamment Paris, Louis XVIII se souviendra néanmoins de ce jeune magistrat lorsqu'il rentrera en France, après Waterloo et la chute définitive de l'empereur.

Chapitre 3

Le château d'If

Sans un mot, le commissaire accompagne Dantès, entouré de quatre gendarmes, jusqu'à un fourgon de police stationné dans la rue. Direction le port de Marseille. Là, un canot les attend.

– Mais où donc me menez-vous ? demande Edmond à l'un des gendarmes.

– Vous le saurez tout à l'heure.

– Il nous est interdit de vous donner aucune explication, dit un autre.

En un instant, le prisonnier se retrouve à la poupe* du canot qui prend immédiatement la mer. Edmond ne comprend plus. Où l'emmène-t-on ? Le juge ne lui avait-il pas dit que ce ne serait pas long ? Alors, pourquoi ce voyage en bateau ?

– Je suis le capitaine Dantès, bon et loyal Français ; je ne sais de quelle trahison on m'accuse: Dites-moi où vous me conduisez, je vous en conjure.

– Vous êtes marin et vous ne devinez pas où vous allez ?

– Non.

– Regardez autour de vous alors.

Dantès se lève, et voit à quelques centaines de mètres les contours sombres du château d'If. Cette prison autour de laquelle règne une si profonde terreur, lui fait l'effet que fait au condamné à mort l'aspect de l'échafaud*.

poupe la partie située à l'arrière d'un bateau.

échafaud plateforme employée pour l'exécution des condamnés.

– Ah ! mon Dieu ! s'écrie-t-il, le château d'If ! et qu'allons-nous faire là ?

Le gendarme assis à côté de Dantès sourit.

– Pourquoi m'emmenez-vous au château d'If ? C'est une prison d'État, destinée seulement aux grands coupable politiques. Je n'ai commis aucun crime. Monsieur le juge me l'a dit. À cette heure, tout est certainement réglé, il me l'a promis.

– Les formalités sont remplies, l'information est faite, répond le gendarme: j'ai ordre de vous conduire en prison.

– Mais la promesse de monsieur de Villefort ? ...

– Je ne sais si monsieur de Villefort vous a fait une promesse, dit le gendarme, mais ce que je sais, c'est que nous allons au château d'If.

Quelques instants plus tard, le prisonnier débarque sur l'île et se retrouve dans une salle presque souterraine, dont les murailles nues et suantes semblent imprégnées d'une vapeur de larmes.

– Voici votre chambre, lui dit une espèce de geôlier* mal vêtu. Voici du pain, il y a de l'eau dans cette cruche*, de la paille là-bas dans un coin : c'est tout ce qu'un prisonnier peut désirer. Bonsoir.

Seul dans les ténèbres et dans le silence, Dantès passe toute la nuit debout, sans dormir un instant. C'est comme si une main de fer l'avait cloué au milieu de sa cellule. Il pleure, se désespère, essaie de comprendre ce qui lui arrive... Peine perdue: plus il s'acharne à trouver une réponse à cette situation absurde, plus la vérité lui échappe. Et Mercédès ? Et son pauvre père ? Il s'en veut* de les faire souffrir. Pourtant, il est innocent, monsieur de Villefort le lui a dit. Alors pourquoi ? Pourquoi ?

geôlier anciennement, gardien de prison.
cruche vase en terre cuite, à anse et à bec, destiné à contenir des liquides.
il s'en veut il se fait des reproches.

Au matin, le geôlier le trouve à l'endroit même où il l'avait laissé la veille, les yeux gonflés par les larmes.

– N'avez-vous donc pas dormi ? demande-t-il.

– Je ne sais pas, répond Dantès.

Le geôlier le regarde avec étonnement*.

– N'avez-vous pas faim ?

– Je ne sais pas.

– Voulez-vous quelque chose ?

– Je voudrais voir le gouverneur.

Le geôlier hausse les épaules et sort sans rien dire.

Le lendemain, à la même heure, le geôlier entre à nouveau dans la cellule d'Edmond.

« Eh bien, êtes-vous plus raisonnable aujourd'hui qu'hier ? » Dantès ne répond pas.

– Voyons donc, dit l'homme, un peu de courage ! Désirez-vous quelque chose qui soit à ma disposition ? Voyons, dites.

– Je désire parler au gouverneur.

– Eh ! dit le geôlier avec impatience, c'est impossible.

– Pourquoi cela, impossible ?

– Parce que, par les règlements de la prison, il n'est pas permis à un prisonnier de le demander.

– Qu'y a-t-il donc de permis ici ? demande Dantès.

– Une meilleure nourriture en payant, la promenade, et quelquefois des livres.

– Je n'ai pas besoin de livres, je n'ai aucune envie de me promener et je trouve ma nourriture bonne ; ainsi je ne veux qu'une chose, voir le gouverneur.

étonnement grande surprise.

– Si vous m'ennuyez à me répéter toujours la même chose, dit le geôlier, je ne vous apporterai plus à manger.

– Eh bien, dit Dantès, si tu ne m'apportes plus à manger, je mourrai de faim, voilà tout.

– Ah ! dit le geôlier, ne vous absorbez pas ainsi dans un seul désir impossible, ou, avant quinze jours, vous serez fou.

– Ah ! tu crois ? dit Dantès.

– Oui, fou. C'est toujours ainsi que commence la folie ; nous en avons un exemple ici: c'est en offrant sans cesse un million au gouverneur, si on voulait le mettre en liberté, que le cerveau de l'abbé qui habitait cette cellule avant vous s'est détraqué*.

– Et combien y a-t-il qu'il a quitté cette cellule ?

– Deux ans.

– On l'a mis en liberté ?

– Non : on l'a mis au cachot*.

– Je vous répète que je veux voir le gouverneur ! crie soudain Dantès en s'élançant vers le geôlier les poings tendus.

– C'est bien ! c'est bien ! Calmez-vous! dit en reculant l'homme ; Puisque vous le voulez absolument, on va prévenir le gouverneur.

– À la bonne heure ! s'exclame Edmond, excédé.

Un instant après, le geôlier est de retour avec quatre soldats et un caporal.

– Par ordre du gouverneur, dit-il, descendez le prisonnier un étage au-dessous de celui-ci.

– Au cachot, alors ? dit le caporal.

– Au cachot. Il faut mettre les fous avec les fous.

▶ 4 Alors, commence pour Edmond une longue et douloureuse descente en enfer. Seul, abandonné de tous, éternellement plongé dans

s'est détraqué a cessé de fonctionner convenablement.
cachot cellule de punition.

l'obscurité, il vit un cauchemar perpétuel. Les jours passent sans qu'il s'en aperçoive, sa pauvre vie est une succession de silences insupportables. Ses cris, personne ne les entend, ses larmes personne ne les voit, son désespoir, tout le monde l'ignore. Sait-on seulement qu'il existe encore ? Parfois, il doute lui-même d'être encore en vie.

Un an environ après son incarcération, la porte de son cachot s'ouvre brusquement. C'est l'inspecteur général des prisons, envoyé au Château d'If pour voir comment les prisonniers y sont traités.

– Quel jour sommes-nous ? demande Edmond qui avait oublié de compter les jours en entrant au cachot.

– Le 30 juillet 1816.

– Qui êtes-vous ?

– D'habitude, c'est moi qui pose les questions, répond l'homme. Je suis l'inspecteur général des prisons. Pourquoi avez-vous été condamné ?

– Je n'ai pas été condamné, Monsieur, répond Dantès.

– Quel crime avez-vous commis ?

– Je l'ignore.

– Allons, allons, on ne met pas en prison les gens sans motif.

– C'est pourtant la vérité, Monsieur. Je demande quel crime j'ai commis ; je demande que l'on me donne des juges ; je demande que mon procès soit instruit* ; je demande enfin que l'on me fusille si je suis coupable, mais aussi qu'on me mette en liberté si je suis innocent.

– Êtes-vous bien nourri ? demande l'inspecteur.

– Oui, je le crois, je n'en sais rien.

– Avez-vous eu froid cet hiver?

– Monsieur, dit encore Dantès, je sais que vous ne pouvez pas me faire sortir d'ici de votre propre décision ; mais vous pouvez

que mon procès soit instruit que mon cas soit jugé par un tribunal.

transmettre ma demande à l'autorité, tout ce que je demande c'est de savoir quel crime j'ai commis.

– Je vous promets d'examiner votre dossier, dit l'inspecteur.

– Oh ! alors, Monsieur, je suis libre, je suis sauvé.

– Qui vous a fait arrêter ?

– Le juge Villefort. Voyez-le et entendez-vous avec lui.

– Villefort avait-il quelque motif de haine contre vous ?

– Aucun, Monsieur ; et même il a été bienveillant pour moi. Il m'a parlé comme à un ami et m'a donné de bons conseils.

– Je pourrai donc me fier* aux notes qu'il a laissées sur vous ou qu'il me donnera ?

– Entièrement, Monsieur.

– C'est bien, attendez ; je vais voir ce que je peux faire pour vous.

Une fois la porte du cachot refermée, Edmond tombe à genoux et lève les mains vers le ciel: « Merci, mon Dieu, de m'avoir envoyé cet homme qui est descendu dans ma prison pareil au Sauveur venu délivrer les âmes de l'enfer. »

Accompagné du gouverneur, l'inspecteur continue sa visite et s'arrête devant un autre cachot.

– Permettez-moi de vous avertir, Monsieur l'inspecteur, dit le gouverneur avant d'ouvrir la porte ; celui-là n'est point un prisonnier comme l'autre, et sa folie, à lui, est moins attristante que la raison de son voisin.

– Et quelle est sa folie ?

– Il se croit possesseur d'un trésor immense. La première année de sa captivité, il a fait offrir au gouvernement un million, si le gouvernement le voulait mettre en liberté ; la seconde année, deux

me fier faire confiance.

millions, la troisième, trois millions, et ainsi progressivement.

– Ah ! ah ! c'est curieux en effet, dit l'inspecteur ; et comment appelez-vous ce millionnaire ?

– L'abbé Faria.

« Ouvrez ! » ordonne l'inspecteur, curieux de rencontrer cet étrange prisonnier.

– Que demandez-vous ? dit l'inspecteur sans varier sa formule.

– Moi, Monsieur ! dit l'abbé d'un air étonné, je ne demande rien.

– Je suis agent du gouvernement, j'ai mission de descendre dans les prisons et d'écouter les réclamations des prisonniers.

– Oh ! alors, Monsieur, j'espère que nous allons nous entendre. Je suis l'abbé Faria, né à Rome, j'ai été vingt ans secrétaire du cardinal Spada ; j'ai été arrêté, je ne sais trop pourquoi, vers le commencement de l'année 1811, depuis ce moment, je réclame* ma liberté. Pouvez-vous m'accorder la faveur d'un entretien particulier ?

– Monsieur, dit l'inspecteur, ce que vous me demandez est impossible.

– Même s'il s'agissait de faire gagner au gouvernement une somme énorme ?

– Mon cher Monsieur, dit le gouverneur, malheureusement nous savons d'avance* et par cœur ce que vous direz. Il s'agit de vos trésors, n'est-ce pas ? »

– Sans doute ; de quoi voulez-vous que je parle, sinon de cela ?

– Mon cher Monsieur, dit l'inspecteur, le gouvernement est riche et n'a, Dieu merci, pas besoin de votre argent ; gardez-le donc pour le jour où vous sortirez de prison. »

– Mais si je n'en sors pas de prison ? Si je meurs sans avoir légué mon secret à personne, ce trésor sera perdu !

je réclame je demande avec insistance.

d'avance avant que vous ne parliez.

– Sur ma parole, dit l'inspecteur à demi-voix, si l'on ne savait que cet homme est fou, il parle avec un accent si convaincu qu'on croirait qu'il dit la vérité.

– Je ne suis pas fou, Monsieur, et je dis la vérité, reprend Faria. Ce trésor dont je vous parle existe bien réellement.

L'inspecteur se met à rire en regardant d'un œil complice le gouverneur.

– Est-ce bien loin votre trésor ? demande-t-il à Faria.

– À cent lieues d'ici à peu près.

– La chose n'est pas mal imaginée, dit le gouverneur ; si tous les prisonniers voulaient s'amuser à promener leurs gardiens pendant cent lieues*, et si les gardiens consentaient à faire une pareille promenade, ce serait une excellente chance pour les prisonniers de prendre la clef des champs* dès qu'ils en trouveraient l'occasion, et pendant un pareil voyage l'occasion se présenterait certainement.

– C'est un moyen connu, dit l'inspecteur, et monsieur n'a pas même le mérite de l'invention. Je vous ai demandé si vous étiez bien nourri, dit encore l'inspecteur que l'abbé n'amuse plus.

– Monsieur, répond Faria, jurez-moi sur le Christ de me délivrer si je vous ai dit vrai, et je vous indiquerai l'endroit où le trésor est enfoui.

– Êtes-vous bien nourri ? répète l'inspecteur.

– Monsieur, vous ne risquez rien ainsi, et vous voyez bien que ce n'est pas pour me ménager une chance pour me sauver, puisque je resterai en prison tandis qu'on fera le voyage.

– Vous ne répondez pas à ma question, reprend avec impatience l'inspecteur.

– Ni vous à ma demande ! s'écrie l'abbé. Allez, je n'ai plus rien à dire.

Et l'abbé, rejetant sa couverture, ramasse un morceau de plâtre*,

lieue ancienne unité de longeur (4 Km environ).
prendre la clef des champs s'évader.
plâtre matériau de couleur blanche utilisé pour couvrir les parois d'une pièce.

et va s'asseoir au milieu d'un cercle, où il trace des lignes et des calculs.

– Que fait-il là ? dit l'inspecteur en se retirant.
– Il compte ses trésors, répond en riant le gouverneur.

Une fois sa visite de la prison terminée, l'inspecteur se souvient de la promesse qu'il a faite à Dantès et se fait remettre son dossier. À l'intérieur, la note à son sujet est formelle :

EDMOND DANTÈS.
Bonapartiste enragé : a pris une part active au retour de l'île d'Elbe.
À tenir au plus grand secret et sous la plus stricte surveillance.

L'inspecteur remarque bien que la note est d'une autre écriture et d'une encre différente que le reste du registre, ce qui prouve qu'elle a été ajoutée pendant l'incarcération de Dantès. « Probablement après les Cent Jours et le retour du roi pense l'inspecteur, mais par qui ? Cet homme aurait pu être libéré avant Waterloo. Pourquoi ne l'a-t-il pas été ? En tout cas, maintenant, c'est trop tard. » L'inspecteur écrit « Rien à faire » sous la note et referme le registre.

Compréhension écrite

1 Coche la bonne réponse. (Justifie ton choix en citant un passage du texte).

1 La nuit de son arrivée au château d'If, Edmond Dantès
- ☐ dort peu.
- ☐ dort mal.
- ☐ ne dort pas.

Justification ....
....
....
....
....

2 Le lendemain,
- ☐ le gouverneur de la prison vient le voir dans sa cellule.
- ☐ un inspecteur vient l'interroger.
- ☐ le geôlier le fait jeter au cachot.

Justification ....
....
....
....
....

3 L'inspecteur général des prisons est au château d'If
- ☐ pour annoncer à Edmond l'ouverture de son procès.
- ☐ pour s'assurer que les prisonniers sont bien traités.
- ☐ pour se faire indiquer l'endroit où se trouve le trésor de l'abbé Faria.

Justification ....
....
....
....
....

4 L'inspecteur général des prisons promet à Edmond Dantès
- ☐ de le faire sortir de prison.
- ☐ de s'intéresser à son cas.
- ☐ d'écrire au juge Villefort.

Justification ....
....
....
....
....

5 En échange de la liberté, l'abbé Faria est prêt
- ☐ à renoncer à son trésor.
- ☐ à en offrir la moitié à l'État.
- ☐ à partager son trésor avec Edmond Dantès.

Justification ....
....
....
....
....

6 Quand la note ajoutée au dossier de Dantès a-t-elle été rédigée ?
- ☐ Au moment de son arrestation.
- ☐ Avant la bataille de Waterloo.
- ☐ Après la bataille de Waterloo.

Justification ....
....
....
....
....

7 Qui est l'auteur de la note qui accuse Edmond Dantès, Villefort, Danglars, Fernand ... ?

«Quelques jours à peine après l'arrestation d'Edmond Dantès, Napoléon quitte l'île d'Elbe et rentre à Paris. Pour .... , c'est une catastrophe. Et si l'on apprenait qu'il a fait arrêter l'homme chargé d'avertir son père du retour imminent de l'empereur ? Heureusement pour lui, Napoléon est vaincu à Waterloo et Louis XVIII reprend le pouvoir. C'est alors que .... peut sans crainte faire ajouter au dossier de Dantès la note qui le condamne définitivement.»

Vocabulaire et production écrite

2a Imagine que l'inspecteur général des prisons entre à nouveau dans la cellule d'Edmond Dantès et qu'il lui propose d'écrire une lettre au procureur Villefort. Complète la lettre avec les mots manquants.

À l'attention du procureur du roi
.... Gérard de Villefort

.... d'If, le 30 juillet 1816

Monsieur le .... ,
Peut-être ne vous souvenez-vous plus de moi, aussi permettez-moi de vous rappeler les faits qui m'ont conduit au château d'If, d'où je vous écris.
Je m'appelle Edmond Dantès et j'ai été arrêté le jour de mes ....
Plusieurs .... m'ont conduit au palais de justice de .... où vous m'avez interrogé. J'ai appris au cours de mon interrogatoire qu'une .... anonyme m'accusait d'être un agent .... , mais vous-même ne m'avez pas semblé y croire puisque vous étiez disposé à me libérer, avant que je ne vous montre la .... que je devais remettre à .... à un certain monsieur Noirtier. Cette .... , vous l'avez brûlée devant moi en me disant que c'était la seule .... qui pesait contre moi et en me demandant de n'en parler à ....
Pourquoi, dans ces conditions, suis-je encore emprisonné ? Et de quoi m'accuse-t-on ?
Je compte sur votre bienveillante attention pour instruire rapidement mon .... afin que je puisse faire éclater la .... et comprendre enfin ce qui m'est arrivé.
Dans cette attente, que vous imaginez douloureuse, je vous prie d'agréer, Monsieur le procureur, l'expression de ma plus haute considération.
Edmond Dantès

2b Transforme à présent la lettre au discours indirect :

Dans sa lettre Edmond dit au procureur Villefort qu'il s'appelle Edmond Dantès ...

....

....

....

....

....

....

....

....

....

....

....

....

....

....

....

....

....

ACTIVITÉ DE PRÉ-LECTURE

Production orale

3 Quelle est, à ton avis, la première phrase du prochain chapitre. Après avoir coché ta réponse, donne-lui oralement une suite logique.

- ☐ La promesse de l'inspecteur redonne espoir à Edmond.
- ☐ Sa visite terminée, l'inspecteur général des prisons écrit immédiatement à Villefort pour en savoir plus sur l'homme qu'il a fait enfermer.
- ☐ Le lendemain de la visite de l'inspecteur, le gouverneur de la prison annonce à Dantès qu'il est libre.
- ☐ Quelques jours après la visite de l'inspecteur, Dantès est transféré dans la cellule de l'abbé Faria.

Chapitre 4

Un savant italien

La promesse de l'inspecteur redonne espoir à Edmond. Son cachot lui semble moins lugubre*. Avec un morceau de plâtre détaché de son plafond, il inscrit la date que lui a fournie cet homme providentiel, 30 juillet 1816, et commence à attendre, faisant chaque jour un cran* supplémentaire. Les jours passent et les signes sur le mur de son cachot s'alignent sans qu'aucune réponse ne vienne. Quatre années s'écoulent. À la fin de la deuxième année, Dantès cesse de compter les jours et passe tous les degrés du malheur que subissent les prisonniers oubliés dans une prison : la révolte, la rage, le désespoir, l'abrutissement. Va-t-il devenir fou, lui aussi ?

Un soir, tout à coup, vers neuf heures, il entend un bruit sourd à la paroi du mur contre lequel il est couché. On dirait la pression d'un instrument sur des pierres. Aussitôt, Edmond se lève, détache un morceau de pierre dans un coin et se met à frapper au mur. « C'est un prisonnier », se dit-il avec une indicible joie. Le lendemain, il se confectionne un outil avec le manche de la casserole dans laquelle le geôlier lui verse sa soupe et se met à travailler sans relâche*.

Les jours passent. Le trou grandit de plus en plus et avec lui l'espoir de rencontrer quelqu'un. « Oh ! mon Dieu, mon Dieu ! s'écrie Dantès, je

lugubre qui évoque la mort.
cran encoche, entaille.
sans relâche sans arrêt.

vous ai tant prié, que j'espérais que vous m'aviez entendu. Mon Dieu ! après m'avoir ôté* la liberté de la vie, mon Dieu ! après m'avoir ôté le calme de la mort, mon Dieu ! à présent que vous m'avez rappelé à l'existence, mon Dieu ! ayez pitié de moi, ne me laissez pas mourir dans le désespoir ! »

– Qui parle de Dieu et de désespoir en même temps ? lui répond une voix.

Edmond sent ses cheveux se dresser sur sa tête.

Au nom du Ciel ! vous qui avez parlé, parlez encore ; qui êtes-vous ?

– Qui êtes-vous vous-même ? demande la voix.

– Un malheureux prisonnier.

– De quel pays ?

– Français.

– Votre nom ?

– Edmond Dantès.

– Votre profession ?

– Marin.

– Depuis combien de temps êtes-vous ici ?

– Depuis le 28 février 1815.

– Votre crime ?

– Je suis innocent.

– Mais de quoi vous accuse-t-on ?

– D'avoir conspiré pour le retour de l'Empereur.

– Comment ! pour le retour de l'Empereur ! l'Empereur n'est donc plus sur le trône ?

– Il a abdiqué à Fontainebleau en 1814 et a été relégué à l'île d'Elbe. Mais vous-même, depuis combien de temps êtes-vous donc ici, que vous ignorez tout cela ?

ôté enlevé.

– Depuis 1811. Ne creusez plus, dites-moi seulement où se trouve le trou que vous avez fait ?

– Au ras de la terre.

– Comment est-il caché ?

– Derrière mon lit. Qui êtes-vous au moins ... dites-moi qui vous êtes ?

– Je suis le n° 27. Maintenant, rebouchez votre trou avec précaution, ne travaillez plus, ne vous occupez de rien, et attendez de mes nouvelles.

Le lendemain matin, Dantès entend soudain frapper trois coups à intervalles égaux.

– Est-ce vous ? demande-t-il anxieux.

– Votre geôlier est-il parti ? demande la voix.

– Oui, répond Dantès, il ne reviendra que ce soir, nous avons douze heures de liberté.

– Je peux donc agir ? dit la voix.

– Oh ! oui, oui, sans retard, à l'instant même, je vous en supplie.

Du sol de son cachot, Dantès voit alors lentement apparaître une tête au milieu des pierres, des épaules et enfin un homme tout entier. Petit, les cheveux tout blancs et une longue barbe descendant sur sa poitrine, il paraît avoir soixante, soixante-dix ans.

– Hélas, je me suis trompé* dans mes calculs, dit l'homme couvert de plâtre et de gravats*. J'ai pris le mur que vous creusiez pour celui de la citadelle !

– Mais alors vous aboutissiez* à la mer ?

– C'était ce que je voulais.

– Et si vous aviez réussi !

– Je me jetais à la nage, je gagnais la côte, et j'étais sauvé. Tant de peine pour rien !

je me suis trompé j'ai fait une erreur.
gravats débris provenant de la démolition d'un mur.
aboutissiez arriviez.

– Maintenant, voulez-vous me dire qui vous êtes ? Et pourquoi vous êtes ici ? demande Dantès.

– Je suis l'abbé Faria, lui répond le vieil homme, prisonnier depuis 1811, accusé comme vous de conspiration, mais pour avoir ardemment désiré l'unité du royaume d'Italie. Vous êtes marin, moi, je suis ce qu'on appelle un savant.

– Quelle sorte de savant ?

– Un savant. À Rome, quand j'étais le secrétaire et l'ami du cardinal Spada, j'avais à peu près cinq mille volumes* dans ma bibliothèque.

– Et vous les avez tous lus, demande Dantès.

– Si je les ai lus ! Mais mon pauvre ami, à force de lire et de relire les plus grands penseurs de l'humanité, j'ai fini par les savoir par cœur : Plutarque, Tite-Live, Tacite, Dante, Montaigne, Shakespeare, Spinosa, Machiavel, Bossuet … pour ne vous citer que les plus importants. Et dans leur langue, car je parle cinq langues vivantes, l'allemand, le français, l'italien, l'anglais, l'espagnol et …

– N'êtes-vous pas, dit Dantès, le prêtre que l'on croit … malade ?

– Que l'on croit fou, vous voulez dire, n'est-ce pas ?

– Je n'osais pas le dire, dit Dantès en souriant.

– Libre à vous de le penser, dit l'abbé, vexé*.

– Pardonnez-moi dit Edmond, je ne voulais pas vous offenser, mais votre vie est si extraordinaire.

– Peut-être la vôtre l'est-elle aussi, répond l'abbé.

▶ 5 – Ma vie renferme un immense malheur, dit Dantès ; un malheur que je n'ai pas mérité et qui serait trop long à raconter.

– Voyons, dit l'abbé, racontez-moi donc votre histoire, nous avons tout notre temps.

Dantès raconte alors l'incroyable erreur judiciaire dont il est

volumes livres, ouvrages.

vexé blessé dans son amour-propre, offensé.

victime. Une fois son récit achevé, l'abbé réfléchit longuement, puis :

– Quand on veut découvrir le coupable d'une mauvaise action, on cherche d'abord celui à qui le crime commis peut être utile ! À qui votre disparition pouvait-elle être utile ?

– À personne, mon Dieu ! j'étais si peu de chose.

– Erreur, s'exclame alors l'abbé. Vous alliez être nommé capitaine du *Pharaon*, Vous alliez épouser une belle jeune fille. Quelqu'un ambitionnait-il votre place ? Quelqu'un était-il amoureux de Mercédès à votre insu* ?

– Un seul homme avait quelque motif de m'en vouloir.

– Son nom ?

– Danglars, il était agent comptable à bord du *Pharaon*.

– Quelqu'un a-t-il pu entendre votre conversation avec le capitaine Leclère ?

– Oui, car la porte était ouverte ; et même ... attendez ... oui, oui Danglars est passé juste* au moment où le capitaine Leclère me remettait le paquet destiné à l'empereur.

– C'est clair comme le jour, dit l'abbé, il faut que vous ayez eu le coeur bien naïf et bien bon pour n'avoir pas deviné la chose tout d'abord.

Dantès recule et regarde presque avec terreur l'abbé.

– Passons à la seconde question. Quelqu'un avait-il intérêt à ce que vous n'épousiez pas Mercédès ?

– Oui ! un jeune homme qui l'aimait.

– Son nom ?

– Fernand.

– C'est un nom espagnol ?

– Il est catalan.

– Croyez-vous que celui-ci était capable d'écrire la lettre ?

à votre insu sans que vous le sachiez.

juste précisément.

– Non ! Il m'aurait plutôt donné un coup de couteau. D'ailleurs, il ignorait tous les détails consignés dans la dénonciation.

– Vous ne les aviez donnés à personne ? Pas même à votre maîtresse ?

– Pas même à ma fiancée.

– Attendez … Ce Danglars connaissait-il Fernand ?

– Non … si … Je me rappelle …

– Quoi ?

– La jour de mes fiançailles, ils étaient à la même table. Danglars était amical et railleur*, Fernand était pâle et troublé.

– Ils étaient seuls ?

– Non, ils avaient avec eux un troisième compagnon, bien connu de moi, un tailleur nommé Caderousse. Oh ! les infâmes ! les infâmes !

– Quel intérêt ce troisième homme avait-il à vous trahir ?

– Qui ? Caderousse ? Aucun. Peut-être était-il simplement jaloux de mon bonheur. Oh ! les misérables !

– Voulez-vous encore savoir autre chose ? dit l'abbé en riant.

– Puisque vous voyez clair en toutes choses, je veux savoir pourquoi je n'ai été interrogé qu'une fois, pourquoi on ne m'a pas donné des juges, et comment je suis condamné sans arrêt.

– Qui vous a interrogé ?

– Le substitut du procureur du roi.

– Jeune, ou vieux ?

– Jeune : vingt-sept ou vingt-huit ans.

– Quelles furent ses manières avec vous ?

– Douces plutôt que sévères.

– Lui avez-vous tout raconté ?

– Tout. Et Il m'a donné une grande preuve de sa sympathie.

– Laquelle ?

railleur moqueur, sarcastique.

– Il a brûlé la seule pièce qui pouvait me compromettre.

– la dénonciation ?

– Non, la lettre.

– Vous en êtes sûr ?

– Cela s'est passé devant moi.

– Cette conduite est trop sublime pour être naturelle.

– Vous croyez ?

– J'en suis sûr. À qui cette lettre était-elle adressée ?

– À monsieur Noirtier, rue Coq-Héron, n° 13, à Paris. il m'a fait jurer de ne pas prononcer le nom qui était inscrit sur l'adresse.

– Noirtier ? répète l'abbé ... Noirtier ? j'ai connu un Noirtier à la cour de l'ancienne reine d'Étrurie, un Noirtier qui avait été girondin* sous la Révolution. Comment s'appelait votre substitut, à vous ?

– De Villefort.

L'abbé éclate alors de rire. Dantès le regarde avec stupéfaction.

– Qu'avez-vous ? dit-il.

– Pauvre enfant, pauvre jeune homme ! Ce Noirtier, pauvre aveugle que vous êtes, savez-vous ce que c'était que ce Noirtier ?

– Ce Noirtier, c'était son père !

La foudre*, tombée aux pieds de Dantès en lui creusant un abîme au fond duquel s'ouvrait l'enfer, lui aurait produit un effet moins prompt, moins électrique, moins écrasant, que ces paroles inattendues ; il se lève, saisissant sa tête à deux mains comme pour l'empêcher d'éclater.

– Son père ! son père ! s'écrie-t-il anéanti.

Alors une lumière fulgurante traverse le cerveau du prisonnier, tout ce qui lui était demeuré obscur se trouve à l'instant même éclairé d'un jour éclatant. Ces tergiversations* de Villefort pendant l'interrogatoire,

girondin membre d'un courant politique pendant la Révolution Française.
foudre éclair, décharge électrique provoquée par un orage.
tergiversations hésitations.

cette lettre détruite, ce serment exigé, cette voix presque suppliante du magistrat qui, au lieu de menacer, semblait implorer, tout lui revient à la mémoire ; il jette un cri, chancelle un instant comme un homme ivre.

– Oh ! dit-il, il faut que je sois seul pour penser à tout cela. Laissez-moi, je vous en supplie.

– Comme vous voulez, dit l'abbé, mais dans l'état où vous êtes la solitude n'est pas bonne conseillère.

Le soir, le geôlier trouve Edmond assis sur son lit, les yeux fixes, les traits contractés, mais immobile et muet comme une statue.

Pendant ces heures de méditation, qui s'étaient écoulées comme des secondes, il avait pris une terrible résolution et fait un formidable serment : il avait juré de se venger de ceux qui l'avaient trahis.

Une voix tire Dantès de cette rêverie, c'est celle de l'abbé Faria, qui, ayant reçu à son tour la visite de son geôlier, vient l'inviter à souper avec lui. Sa qualité de fou reconnu, et surtout de fou divertissant, vaut au vieux prisonnier quelques privilèges, comme celui d'avoir du pain un peu plus blanc et une petite bouteille de vin le dimanche.

Dantès le suit, mais quelque chose en lui a changé : son visage n'est plus le même, il y a dans ses traits une raideur et une fermeté qui semblent indiquer qu'une résolution a été prise. L'abbé le regarde fixement.

– Je suis fâché de vous avoir aidé dans vos recherches et de vous avoir dit ce que je vous ai dit, dit-il.

– Pourquoi cela ? demande Dantès.

– Parce que je vois que je vous ai infiltré dans le coeur un sentiment qui n'y était pas : la vengeance.

Dantès sourit et ce sourire a quelque chose de terrifiant.

– Parlons d'autre chose, dit-il.

Voyant les ravages de ses révélations sur Dantès, le vieil abbé se prend de pitié pour le jeune homme et décide de l'aider à surmonter cette épreuve. Que le temps qu'il passera encore en prison ne soit pas totalement perdu, que sa captivité serve au moins à quelque chose ! Faria décide qu'Edmond sera son élève et, pendant plus d'un an, il va lui apprendre les mathématiques, les sciences, la philosophie, l'histoire, les langues, la chimie ... tout ce qu'il a appris au cours de sa longue existence. Ayant fréquenté l'aristocratie et le grand monde il lui enseigne également les belles manières, cette façon d'être qui fait l'élégance. En échange, Edmond l'aide à creuser une nouvelle galerie qui, d'après les nouveaux calculs de l'abbé, devrait les conduire sur le chemin de ronde de la forteresse. La liberté, finalement !

Au bout de quinze mois de travail acharné, le tunnel est achevé; les deux hommes peuvent entendre passer et repasser la sentinelle* au-dessus de leur tête. D'un commun accord, ils décident d'attendre une nuit obscure et sans lune pour rendre leur évasion plus certaine encore.

– Pourquoi êtes-vous triste, l'abbé ? demande Edmond, rayonnant de joie.

– Je ne suis pas triste, Edmond, mais fatigué, très fatigué. Je ne crois pas que je pourrai nager jusqu'à la côte, je suis bien trop vieux et cette année de travail incessant m'a épuisé.

– Allons, rassurez-vous. Je nagerai pour deux, vous n'aurez qu'à vous laisser transporter. Depuis que vous m'avez révélé la vérité sur mon triste sort, mes forces sont miraculeusement revenues.

– Ne parlez pas de miracle ! dit tristement l'abbé. C'est votre désir de vengeance qui vous rend si fort. Vous y perdrez votre âme.

sentinelle soldat chargé de monter la garde à un campement, une caserne, etc.

Compréhension écrite

1 Vrai (V) ou faux (F) ? Justifie tes réponses en citant le texte.

1 ☐ Au château d'If, Edmond Dantès occupe la cellule n° 27.
Justification ....
....

2 ☐ Edmond rencontre l'abbé Faria deux ans après la visite de l'inspecteur.
Justification ....
....

3 ☐ L'abbé Faria a creusé son tunnel souterrain pour rencontrer Edmond.
Justification ....
....

4 ☐ Les deux prisonniers décident d'unir leurs forces pour creuser un nouveau tunnel.
Justification ....
....

5 ☐ Deux ans plus tard, le nouveau tunnel est achevé.
Justification ....
....

6 ☐ L'abbé Faria est accusé du même délit que Dantès.
Justification ....
....

7 ☐ Il est au château d'If depuis 1814.
Justification ....
....

8 ☐ C'est un homme encore jeune.
Justification ....
....

2 Associe les questions aux réponses.

1 ☐ Vous qui avez parlé, qui êtes-vous ?
2 ☐ De quel pays ?
3 ☐ Votre nom ?
4 ☐ Votre profession ?
5 ☐ Depuis combien de temps êtes-vous ici ?
6 ☐ Votre crime ?
7 ☐ Mais de quoi vous accuse-t-on ?
8 ☐ L'Empereur n'est donc plus sur le trône ?
9 ☐ Mais vous-même, depuis combien de temps êtes-vous donc ici ?
10 ☐ dites-moi où se trouve le trou que vous avez fait.
11 ☐ Comment est-il caché ?
12 ☐ Qui êtes-vous, dites-moi qui vous êtes.

a Au ras de la terre.
b D'avoir conspiré pour le retour de l'Empereur.
c Depuis 1811.
d Depuis le 28 février 1815.
e Derrière mon lit.
f Edmond Dantès.
g Français.
h Il a abdiqué à Fontainebleau en 1814.
i Je suis innocent.
j Je suis le n° 27.
k Marin.
l Un malheureux prisonnier.

Production orale

3 Le second interrogatoire. À deux. Imaginez que l'inspecteur général des prisons, intrigué par la note ajoutée au dossier du prisonnier Edmond Dantès, décide de l'interroger sur les circonstances de son arrestation. Jouez la scène de l'interrogatoire.

Vocabulaire et production écrite

4a **Chacune de ces dates correspond à un événement dont ont parlé ou auraient pu parler les journaux de l'époque. Comment un journaliste aurait-il informé ses lecteurs ? Rédige le titre et le chapeau de chaque article.**

1811

....

1814

....

28 février 1815

....

29 juillet 1816

....

4b **L'un de ces articles n'aurait jamais pu être écrit. Pourquoi ?**

....

....

....

5 **Cherche dans la grille douze adjectifs expressifs tirés du chapitre. (Attention, ils sont au masculin singulier.)**

	A	B	C	D	E	F	G	H	I	J	K	L
1	S	É	V	È	R	E	D	E	D	O	U	X
2	B	N	H	C	G	Y	A	Z	N	H	U	M
3	N	O	W	O	I	N	A	T	U	R	E	L
4	Z	A	N	P	I	Z	H	D	F	N	J	Y
5	T	J	Ï	D	G	G	E	I	W	N	S	V
6	E	P	A	F	R	A	I	L	L	E	U	R
7	R	P	P	L	V	U	N	Q	E	V	B	O
8	R	I	T	Â	O	T	R	O	U	B	L	É
9	I	W	O	P	L	U	S	R	B	V	I	S
10	B	W	L	Q	G	E	X	T	D	X	M	D
11	L	C	T	U	T	X	P	J	V	L	E	B
12	E	F	A	M	I	C	A	L	F	E	L	W

Grammaire du texte

6 Lis attentivement le texte puis transforme les phrases interrogatives en employant l'inversion verbe-sujet.

Quelques jours avant leur évasion, Dantès aperçoit l'abbé Faria debout au milieu de sa cellule, pâle, la sueur au front et les mains crispées

– Oh ! mon Dieu ! s'écrie-t-il, qu'est-ce qu'il y a ? .... , et qu'est-ce que vous avez? .... donc ?

– Vite, vite ! Écoutez-moi.

– Mais qu'est-ce qui se passe .... donc ?

– Je suis perdu ! dit l'abbé ; écoutez-moi. Un mal terrible, mortel peut-être, va me saisir ; l'accès arrive, je le sens. Courez vite chez moi, vous y trouverez caché sous mon lit un petit flacon. Quand vous me verrez immobile, froid et comme mort, faites couler dans ma bouche huit à dix gouttes du liquide qu'il contient. Dépêchez-vous! Vite!

Edmond se précipite dans la cellule de l'abbé, trouve le petit flacon et, de retour dans sa cellule, découvre l'abbé étendu, immobile au milieu de la pièce. Sans perdre son calme, il débouche le petit flacon de l'abbé et fait exactement ce que son compagnon lui a demandé.

Deux heures plus tard, l'abbé retrouve ses sens.

– Vous êtes sauvé ! s'écrie Edmond.

– Je ne comptais plus vous revoir, dit l'abbé à Dantès.

– Pourquoi cela ? Est-ce que vous comptiez .... mourir ?

– Non ; mais tout est prêt pour votre fuite, et je comptais que vous fuiriez.

La rougeur de l'indignation colore les joues de Dantès.

– Sans vous ? jamais ! Comment est-ce que vous avez pu croire .... que ...

– À présent, je vois que je m'étais trompé, dit Faria; mais je ne sais pas si j'aurai la force de vous accompagner.

Chapitre 5

Le trésor de l'abbé Faria

Quelques jours avant l'évasion, Edmond se réveille en sursaut*, croyant s'être entendu appeler. Il ouvre les yeux. Son nom, ou plutôt une voix plaintive qui essaye d'articuler son nom, arrive jusqu'à lui. « Grand Dieu ! murmure Dantès ; serait-ce ... ? » Il déplace son lit, s'élance dans le corridor qui le relie à la cellule de l'abbé. Edmond découvre alors le vieillard à terre, le visage extrêmement pâle. Edmond pousse un cri douloureux, et perdant complètement la tête, il s'élance vers la porte en criant :

– Au secours ! au secours !

– Silence ! dit l'abbé, ou vous êtes perdu. Dans un quart d'heure il ne restera plus de moi qu'un cadavre.

– Non ! crie Dantès ! Vous ne pouvez pas m'abandonner maintenant, si près du but !

– Taisez-vous malheureux, on va finir par vous entendre.

– Laissez-moi appeler, nous nous évaderons plus tard, dans un mois, qu'importe ! Votre flacon ! Où est votre flacon ?

– C'est inutile, Edmond, Je sens que je vais mourir, et quoi que vous puissiez faire ne me rendra pas la vie. Aussi, écoutez-moi sans m'interrompre car le temps presse*. En disant ces mots, l'abbé Faria tend à son ami un papier jauni par le temps et tout froissé.

– Ce papier, dit Faria, c'est mon trésor.

en sursaut brusquement.

le temps presse il faut faire vite.

– Votre trésor ? balbutie Dantès.

– Ce trésor existe, Dantès, et s'il ne m'a pas été donné de le posséder, vous le posséderez, vous : personne n'a voulu m'écouter ni me croire parce qu'on me jugeait fou ; mais vous, qui devez savoir que je ne le suis pas, lisez ceci.

Ce jourd'hui 25 avril 1498, ayant été invité à dîner par Sa Sainteté* Alexandre VI, et craignant qu'il ne veuille hériter de moi et ne me réserve le sort des cardinaux Crapara et Bentivoglio, morts empoisonnés, je déclare à mon neveu Guido Spada, mon légataire universel, que j'ai enfoui dans un endroit qu'il connaît pour l'avoir visité avec moi, c'est-à-dire dans les grottes de la petite île de Monte-Cristo, tout ce que je possédais de lingots, d'or monnayé, pierreries, diamants, bijoux ; que seul je connais l'existence de ce trésor qui peut monter à peu près à deux millions d'écus romains, et qu'il trouvera ayant levé la vingtième roche à partir de la petite crique de l'Est en droite ligne. Deux ouvertures ont été pratiquées dans ces grottes : le trésor est dans l'angle le plus éloigné de la deuxième, lequel trésor je lui lègue et cède en toute propriété, comme à mon seul héritier.*
25 avril 1498.
CÉSAR † SPADA

– Ce trésor vous appartient, mon ami, dit Faria.

– Mais je n'y ai aucun droit : je ne suis pas votre parent.

– Vous êtes mon fils, Dantès ! s'écrie le vieillard, vous êtes l'enfant de ma captivité ; mon état me condamnait au célibat* : Dieu vous a envoyé à moi pour consoler à la fois l'homme qui ne pouvait être père et le prisonnier qui ne pouvait être libre.

ce jour d'hui aujourd'hui.
Sa Sainteté titre honorifique donné au pape.
célibat état de vie d'une personne non mariée.

En disant ces mots, Faria tend les bras au jeune homme qui se jette à son cou en pleurant.

– Attendez dit l'abbé. Je n'ai pas fini. Savez-vous ce que l'on fera de moi quand je serai mort ? … Il n'y a pas de cimetière au Château d'If ; le cadavre des prisonniers morts en captivité est mis dans un sac et jeté à la mer. Comprenez-vous Edmond ? En mourant, je vous sauve ! Attendez que les formalités soient remplies*, puis sortez-moi du sac, transportez mon cadavre dans votre cellule et prenez ma place.

– Non, je ne peux pas dit Dantès en pleurant.

– Si, Edmond, vous devez être libre. Et riche. Monte-Cristo ! dit encore l'abbé, n'oubliez pas, Monte-Cristo, la grotte! Tout est sur cette carte : lisez, cherchez, vous trouverez mon trésor. Peut-être réussirez-vous alors à vous libérer de votre obsession. Vous avez soif de vengeance, Edmond, mais sachez que vous ne serez jamais désaltéré. Oubliez le passé, mon ami ; laissez ces misérables qui vous ont trahi à leur triste sort. Vivez ! Ce sera votre plus belle revanche.

Puis, plus rien. Edmond, penché sur son ami, la main appliquée à son cœur, sent successivement le corps du vieillard se refroidir, il voit son visage devenir livide*, le regard se ternir. C'est fini, l'abbé Faria, son compagnon de peine, son maître, son père n'est plus*.

Le lendemain, à six heures, Edmond entend les pas du geôlier dans le couloir. Il retourne vite dans son cachot et attend sa visite. Sans se douter de rien, celui-ci inspecte sa cellule puis referme la porte comme tous les matins. Quelques instants plus tard, les pas du geôlier résonnent à nouveau dans le couloir, suivis ensuite par d'autres pas, plus nombreux. Edmond parvient à saisir des bribes* de phrases.

– Allons, allons, le fou a été rejoindre ses trésors, bon voyage ! …

soient remplies soient terminées.
livide qui a la couleur du plomb, gris bleuâtre.
n'est plus est mort.
bribes parties (de phrases, de mots).

– Il n'en aura pas besoin pour payer son sac …
– C'est pour ce soir ?
– Oui.
– À quelle heure ? …
– Vers dix ou onze heures, le gouverneur a été prévenu*.

Puis le silence. Un silence de mort envahit les cachots 27 et 34 du château d'If. Le 27 (c'est ainsi que les gardiens appelaient l'abbé Faria) n'est plus, mais grâce au savant italien que tout le monde croyait fou, le 34, Edmond Dantès, va enfin retrouver la liberté.

Après avoir attendu plusieurs heures pour être sûr que personne ne viendrait plus dans la cellule du mort, Edmond met son plan à exécution. Enfermé dans le sac destiné à l'abbé Faria qu'il a tendrement déposé dans sa propre cellule, il attend qu'on vienne le prendre. Une longue attente anxieuse pendant laquelle Edmond s'efforce de faire le vide dans sa tête : il a tant souffert qu'il n'ose espérer. Et si les gardiens découvraient le pot aux roses* ? Et si le gouverneur décidait d'attendre encore un jour avant de jeter le corps de l'abbé à la mer ? Et si, et si ? … une angoisse atroce* le tenaille pendant toute la journée.

Tout à coup, des pas résonnent dans le couloir. Un bruit de clés, la porte qui s'ouvre. Edmond est soulevé comme une des marchandises qu'il transportait sur le *Pharaon* et conduit face à la mer. Enfermé dans son sac, le prisonnier entend le bruit des vagues qui se brisent contre les rochers. « Un … Deux … comptent les deux hommes en balançant le sac d'avant en arrière. »

« Trois ! » Lancé dans le vide, le corps d'Edmond tombe comme

prévenu averti.
pot au roses (découvrir le) mettre à jour un stratagème, un secret, quelque chose qui était volontairement caché.
atroce horrible.

une flèche dans l'eau glacée de la mer. Il faut faire vite. Avant de le lancer, les gardiens ont attaché un énorme boulet* au bout de son sac. Au prix d'incroyables efforts, Edmond parvient à se libérer et refait surface respirant à pleins poumons l'air vif de la nuit. Nager, s'éloigner le plus rapidement possible du Château d'If avant que le geôlier ne donne l'alarme ! La mer est agitée ; d'énormes vagues ralentissent sa nage. Continuer ou se reposer et risquer d'être repris ? À bout de forces, Edmond décide de passer la nuit accroché à un rocher de la petite île de Tiboulen, à trois kilomètres du port de Marseille. Tremblant de peur et de froid dans l'eau glacée, il compte inlassablement les minutes qui le séparent du jour.

Au matin, il aperçoit un petit navire à peine sorti du port qui se dirige vers lui. Après plus de quarante heures sans boire et sans manger, et tout une nuit dans la mer en tempête, le fugitif comprend qu'il n'a pas le choix et, presque debout sur l'eau, il agite son bonnet et lance des grands cris de détresse en direction du bateau. On l'entend, on le hisse* à bord, on l'interroge. Edmond se fait passer pour un naufragé.

– Maintenant, qu'allons-nous faire de vous ? se demande le patron du navire. Vous connaissez la mer ?

– Je navigue sur la Méditerranée depuis mon enfance, répond Dantès.

– Nous allons voir. Prenez le gouvernail et montrez-nous ce que vous savez faire.

– Direction ?

– Livourne, répond le patron.

– Quel jour sommes-nous ? demande ensuite Edmond à Jacopo, le marin qui l'a hissé à bord.

boulet projectile, sphère de métal lancée par un canon.

on le hisse on le monte.

– Mais le 28 février. Pourquoi ?

– De quelle année ?

– Le naufrage t'a-t-il donc fait oublier que nous sommes en 1829 ? répond le marin en riant.

1829 ! Edmond Dantès est donc resté 14 ans enfermé au château d'If : il avait dix-neuf ans lorsqu'il y est entré, il en a trente-trois à présent. Que sont devenus ceux qu'il a connus ? Celle qu'il a aimée, son pauvre père, les scélérats* qui l'ont fait enfermer ?

– Vous voyez, dit Dantès en quittant la barre*, que je pourrai vous être de quelque utilité, pendant la traversée du moins. Si vous ne voulez pas de moi à Livourne, eh bien, vous me laisserez là.

– Marché conclu dit le patron ; je vois que vous êtes un excellent marin.

Arrivé à Livourne en Italie, Dantès ne tarde pas à comprendre que la *Jeune-Amélie*, la batane qui l'a accueilli après son évasion du Château d'If est en fait un bâtiment contrebandier. « C'est plus que je n'espérais, se dit Edmond, les contrebandiers ne posent pas de questions et, surtout, ils ne parlent pas. »

En ville, une nouvelle épreuve l'attend : depuis quatorze ans qu'il n'a plus revu son visage il est curieux de voir à quoi il ressemble aujourd'hui. Il se rend donc chez un barbier et, une fois ses cheveux coupés et sa barbe rasée, il regarde ce qu'il est devenu et se rend compte que le visage rond et épanoui du jeune homme qu'il était a complètement disparu ; à sa place, il découvre l'image d'un homme déterminé, la bouche amère, les yeux empreints d'une

scélérats criminels.

la barre le gouvernail d'un bateau.

profonde tristesse d'où jaillissent de temps en temps des éclairs de misanthropie* et de haine. Edmond sourit en se voyant : qui pourrait bien le reconnaître, à présent qu'il ne se reconnaît plus lui-même ?

▶ 6 De retour à bord, le chef des contrebandiers, qui a eu le temps de juger de ses qualités de marin, lui propose de faire partie de son équipage. Edmond accepte. Le métier de contrebandier est dangereux, mais il n'a pas le choix. Et puis, il y a le trésor du cardinal Spada. « Monte-Cristo, Monte-Cristo ! » Les derniers mots de l'abbé Faria résonnent encore dans sa tête. Depuis sa fuite, il n'a fait qu'y penser. Mais comment se rendre sur la petite île sans éveiller les soupçons des contrebandiers ? Après plusieurs expéditions en Corse, en Sardaigne et dans d'autres petites îles de la Méditerranée, la chance finit par lui sourire : le patron de la *Jeune-Amélie* choisit l'île sauvage de Monte-Cristo pour décharger son bâtiment d'une précieuse cargaison de tapis turcs et d'étoffes du Cachemire. Une grosse affaire ! Descendu à terre, Edmond feint* d'être tombé dans un précipice afin de rester seul sur l'île. Le voyant si mal en point, hurlant de douleur chaque fois qu'ils essaient de le déplacer, ses compagnons sont bien obligés de l'abandonner sur l'île, tout en lui promettant de repasser une semaine plus tard. Une semaine ! C'est plus qu'il n'en faut à Edmond pour trouver la cachette du cardinal Spada. Resté seul, il sort de sa poche le précieux document que lui a remis l'abbé Faria et part immédiatement à la recherche de son trésor.

S'orientant avec la carte et les indications qu'elle contient, Edmond finit par trouver la grotte, au fond de laquelle il découvre un coffre de bois de chêne cerclé de fer ciselé. Au milieu du couvercle, sur une plaque d'argent, resplendissent les armes de la famille Spada. L'abbé

misanthropie le fait d'avoir une opinion défavorable, pessimiste des hommes en général.

feint fait semblant.

avait donc dit vrai ! Edmond ouvre frénétiquement le coffre, ferme les yeux puis les rouvre, comme font les enfants pour augmenter l'effet de leur surprise : à l'intérieur, c'est un éblouissement d'or et de pierres précieuses. Trois compartiments s'offrent à lui. Dans le premier brillent de rutilants* écus d'or aux fauves reflets. Dans le second, des lingots rangés en bon ordre. Dans le troisième enfin, à demi plein, des centaines de diamants, de perles, de rubis : une cascade étincelante qui fait en retombant les uns sur les autres, le bruit de la grêle sur les vitres. Après avoir touché, palpé, enfoncé ses mains frémissantes dans l'or et les pierreries, Edmond glisse une poignée de diamants dans l'une de ses poches, se relève et sort de la caverne avec la tremblante exaltation d'un homme qui touche à la folie. « Me voilà riche, se dit Edmond ; plus riche qu'aucun homme ne l'a jamais été, si riche que rien ni personne ne pourra s'opposer à ma vengeance. Ma liberté, c'est Dieu qui me l'a rendue ; ce trésor, c'est Lui qui me le donne pour que je punisse les criminels qui m'ont volé ma jeunesse, mon amour, ma vie. Je serai le bras vengeur de la volonté divine. Edmond Dantès est mort en même temps que l'abbé Faria, le comte de Monte-Cristo lui succède aujourd'hui pour accomplir sa dernière, son unique volonté : vengeance ! »

Comme promis, six jours plus tard, les contrebandiers de la *Jeune-Amélie* sont de retour sur l'île pour le ramener à Livourne. À peine débarqué, Edmond, prend congé de l'équipage et du patron en promettant de lui donner un jour ou l'autre de ses nouvelles. Il commence par acheter un passeport anglais, puis il vend quelques diamants pour financer son expédition à Monte-Cristo où son trésor l'attend. Grâce à cet argent, il achète une barque et la donne à

rutilants resplendissants.

Jacopo, le marin avec lequel il s'est lié d'amitié sur la *Jeune-Amélie*, à la condition qu'il aille à Marseille demander des nouvelles d'un vieillard nommé Louis Dantès et d'une jeune fille du village des Catalans, Mercédès. Pendant ce temps, Edmond ira à Gênes, achètera un yacht et ira l'attendre à Monte-Cristo. Du rocher qui surplombe la grotte qu'il a eu le temps de vider de son contenu, Edmond voit débarquer Jacopo huit jours après son arrivée sur l'île.

Malheureusement les nouvelles sont mauvaises : le vieux Dantès est mort et Mercédès a disparu. Edmond décide alors de mettre le cap sur Marseille. Revenu incognito sur les lieux de son enfance et de sa jeunesse, il apprend que Caderousse, son ancien voisin, tient à présent une petite auberge à Beaucaire, près d'Arles, et que les affaires de l'ancien tailleur vont plutôt mal. « Commençons par lui ! » se dit Edmond qui décide d'aller rendre visite à l'aubergiste déguisé en abbé, un gros diamant dans sa soutane*. ■

soutane longue robe noire boutonnée de haut en bas que portent les prêtres.

ACTIVITÉS DE POST-LECTURE

Compréhension écrite

1 Complète le résumé du chapitre en insérant correctement dans le texte les phrases suivantes :

1 Ayant découvert le fabuleux trésor du cardinal Spada, Edmond quitte les contrebandiers à Livourne.
2 L'abbé lui dit qu'il va mourir et lui donne la carte de son trésor caché sur l'île déserte de Monte-Cristo.
3 Quelques instants plus tard, le corps d'Edmond tombe comme une flèche dans l'eau glacée.
4 Pendant ce temps, Edmond va à Gênes, achète un yacht et retourne sur l'île de Monte-Cristo pour transporter le trésor de Spada sur son bateau.
5 Le chef des trafiquants lui propose de faire partie de son équipage.

Quelques jours avant l'évasion, Edmond découvre son compagnon à terre, le visage extrêmement pâle. ☐ Après la mort de l'abbé, Edmond s'enferme dans le sac qui lui était destiné et il attend qu'on vienne le chercher. Vers onze heures, deux hommes viennent prendre le sac pour le lancer à la mer. ☐ Au prix d'incroyables efforts, Edmond parvient à se libérer. Après s'être éloigné à la nage du château d'If, il décide de passer la nuit accroché à un rocher. Recueilli par des contrebandiers, Edmond apprend qu'il est resté enfermé quatorze années au château d'If. ☐ Quelque temps plus tard, leur bateau arrive à l'île de Monte-Cristo. Resté seul à terre après avoir déchargé la cargaison du navire, Edmond Dantès en profite pour chercher le trésor de l'abbé Faria. ☐ L'un deux accepte de se rendre à Marseille pour savoir ce que sont devenus Louis Dantès et Mercédès. ☐

Vocabulaire et grammaire du texte

2 À partir des définitions, complète la grille en choisissant d'abord parmi les adjectifs ceux qui conviennent puis en les transformant en adverbes de manière.

successif • tendre • rapide • complet • immédiat • frénétique
malheureux • précis • extrême • certain • vif • doux • éperdu
franc • ardent • fou • exact • sûr • lent • sincère • nerveux
silencieux • heureux • intelligent • normal

1 d'un mouvement vif et rapide.
2 très probablement.
3 déraisonnablement.
4 déplorablement, regrettablement.
5 certainement.
6 passionnément.
7 intensément
9 avec une grande agitation nerveuse.
10 exactement.
11 sincèrement.
12 instantanément.
14 avec douceur.
15 en vitesse.

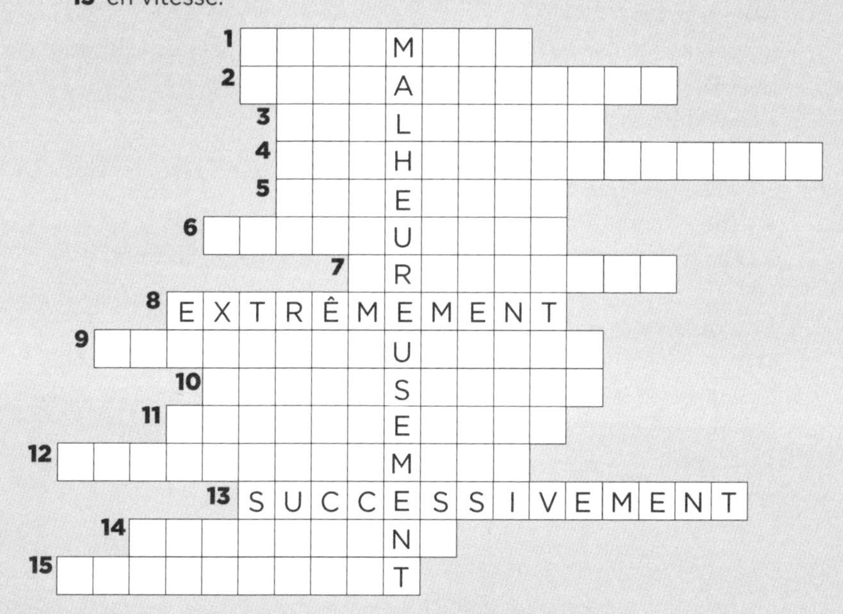

3 Complète le texte en choisissant dan la liste les verbes correctement conjugués:

	A	B	C	D
1	**A** se noyait	**B** se noie	**C** se noyer	**D** se noya
2	**A** avait sauvé	**B** sauve	**C** sauver	**D** sauvait
3	**A** demande	**B** demanda	**C** avait demandé	**D** demander
4	**A** vint	**B** était venu	**C** est venu	**D** venir
5	**A** a	**B** a eu	**C** avait	**D** eut
6	**A** était arrêté	**B** avait arrêté	**C** avait été arrêté	**D** arrêta
7	**A** était entré	**B** entra	**C** entrer	**D** est entré
8	**A** était sorti	**B** sortait	**C** sortir	**D** sortit
9	**A** est passé	**B** passa	**C** passait	**D** passer
10	**A** demanda	**B** demandait	**C** demander	**D** avait demandé
11	**A** devint	**B** est devenue	**C** était devenue	**D** devenir
12	**A** devoir	**B** dut	**C** doit	**D** avait dû
13	**A** s'allumer	**B** s'alluma	**C** s'était allumé	**D** s'allume
14	**A** devait	**B** a dû	**C** devoir	**D** avait dû
15	**A** renouvela	**B** renouvelle	**C** renouveler	**D** renouvelait
16	**A** a prononcé	**B** prononcer	**C** prononce	**D** avait prononcé

Recueilli par des contrebandiers italiens alors qu'il allait **(1)** ___, Edmond Dantès surprit l'équipage en faisant preuve de ses excellentes qualités de marin et se lia d'amitié avec celui qui lui **(2)** ___ la vie.

- Quel quantième du mois tenons-nous ? **(3)** ___ Dantès à Jacopo, qui **(4)** ___ s'asseoir auprès de lui.
- Le 28 février, répondit celui-ci.
- De quelle année ?
- De l'année 1829, dit Jacopo.

Il y **(5)** ___ quatorze ans, jour pour jour, que Dantès **(6)** ___.
Il **(7)** ___ à dix-neuf ans au château d'If, il en **(8)** ___ à trente-trois ans.
Un douloureux sourire **(9)** ___ sur ses lèvres ; il se **(10)** ___ ce qu' **(11)** ___Mercédès pendant ce temps où elle **(12)** ___le croire mort.
Puis un éclair de haine **(13)** ___ dans ses yeux en songeant à ces trois hommes auxquels il **(14)** ___ une si longue et si cruelle captivité.
Et il **(15)** ___ contre Danglars, Fernand et Villefort ce serment d'implacable vengeance qu' il **(16)** ___ dans sa prison.

Production écrite

4 **Le lendemain de l'évasion d'Edmond Dantès, le gouverneur du château d'If rédige un rapport qu'il adresse au contrôleur général des prisons, et dans lequel il explique les circonstances qui ont permis au détenu de la cellule n° 34 de prendre la fuite.**
Rédige ce rapport.

RAPPORT
FAIT par le gouverneur de la prison du château d'if ...

Production orale

5 **Après quatorze années passées au château d'If, Edmond Dantès a changé. Comment est-il à présent ? Fais son portrait physique et moral.**

ACTIVITÉ DE PRÉ-LECTURE

6 **La nouvelle vie de Caderousse. Qu'est devenu l'ancien voisin des Dantès à Marseille ? Rétablis l'ordre logique du paragraphe.**

A) Malheureusement pour lui, les affaires vont mal à cause du canal qui relie désormais Beaucaire à Aigues-Mortes.
B) Grâce à cette voie navigable, les voyageurs peuvent se déplacer plus rapidement en bateau.
C) Les yeux enfoncés et brillants, les dents blanches, les cheveux et la barbe noirs encore malgré son âge, c'est le véritable type méridional.
D) Grand, sec et nerveux, Caderousse est âgé à présent d'une quarantaine d'années,.
E) Il était jovial et envieux, sa pauvreté l'a rendu triste et amer.
F) Il était tailleur, le voici aubergiste sur la route d'Arles, à Beaucaire.
G) Gaspard Caderousse, l'ancien voisin des Dantès à Marseille, a quitté la ville et changé de métier après l'arrestation d'Edmond.
H) Sur la route d'Arles, les diligences sont donc devenues rares et Caderousse dans son auberge se sent bien seul.

1.___ **2.**___ **3.**___ **4.**___ **5.**___ **6.**___ **7.**___ **8.**___

Chapitre 6

La confession

Le lendemain, en fin de matinée, Caderousse voit arriver dans la cour de son auberge un cavalier vêtu* de noir.

– Un prêtre ? Me voilà ! dit-il tout étonné en allant au devant de l'homme en noir.

– Que désirez-vous, monsieur l'abbé ? je suis à vos ordres.

▶ 7 – Je cherche un nommé Caderousse.

– C'est moi, Monsieur, Gaspard Caderousse, pour vous servir. Mais entrez donc ! Installez-vous, je vais vous chercher une bonne bouteille de vin !

Caderousse revient quelques minutes plus tard et s'assied avec la bouteille et deux verres à la table de l'abbé.

– Vous demeuriez autrefois à Marseille, n'est-ce pas ? lui demande l'abbé.

– C'est cela.

– Et vous y exerciez la profession de tailleur ?

– Oui.

– Pardonnez mes questions, Monsieur Caderousse, mais je suis l'abbé Busoni et je viens d'Italie ; je dois m'assurer que vous êtes bien celui à qui j'ai affaire.

vêtu habillé.

– Quelles preuves voulez-vous que je vous donne ?

– Avez-vous connu en 1814 ou 1815 un marin qui s'appelait Dantès ?

– Dantès ! ... si je l'ai connu, ce pauvre Edmond ! je le crois bien ! c'était même un de mes meilleurs amis ! Et qu'est-il devenu, Monsieur, ce pauvre Edmond ? continue l'aubergiste ; l'auriez-vous connu ? Vit-il encore ? Est-il libre ? Est-il heureux ?

– Il est mort prisonnier, plus désespéré et plus misérable que les forçats qui traînent leur boulet au bagne* de Toulon. »

– Pauvre petit ! murmure Caderousse, soudain très pâle.

– Vous paraissez aimer ce garçon de tout votre coeur, Monsieur, demande l'abbé.

– Oui, je l'aimais bien, dit Caderousse, quoique j'aie à me reprocher d'avoir un instant envié* son bonheur. Mais depuis, je vous le jure, foi de Caderousse, j'ai bien plaint* son malheureux sort. Vous l'avez bien connu, le pauvre petit ? continue l'aubergiste.

– J'ai été appelé à son lit de mort pour lui offrir les derniers secours de la religion, répond l'abbé.

– Et de quoi est-il mort ? demande Caderousse d'une voix étranglée.

– Et de quoi meurt-on en prison quand on y meurt à trente ans, si ce n'est de la prison elle-même ?

De grosses gouttes de sueur coulent à présent sur le front de Caderousse, de plus en plus mal à l'aise*.

– Ce qu'il y a d'étrange dans tout cela, reprend l'abbé, c'est que Dantès m'a toujours juré qu'il ignorait la véritable cause de sa captivité.

– C'est vrai, c'est vrai, murmure Caderousse, il ne pouvait pas le savoir ; non, Monsieur l'abbé, il ne mentait pas, le pauvre petit.

– C'est pourquoi, avant de mourir, il m'a chargé d'essayer de faire

bagne prison où étaient enfermés les condamnés aux travaux forcés.
d'avoir envié d'avoir été jaloux (de son bonheur).
j'ai bien plaint j'ai eu pitié, j'ai éprouvé de la compassion.
mal à l'aise gêné, embarrassé.

toute la lumière sur son arrestation, et de réhabiliter sa mémoire.

En disant ces mots, l'abbé tire de sa poche une petite boîte qu'il pose devant lui ; il l'ouvre : le diamant dans son écrin* étincelle au soleil devant les yeux éblouis de l'aubergiste.

– Ce diamant, Monsieur Caderousse, m'a été remis par Dantès sur son lit de mort. Ne me demandez pas comment il l'a obtenu, ce serait trop long à expliquer. Écoutez plutôt la suite. « J'avais trois bons amis et une fiancée, m'a-t-il dit : tous quatre, j'en suis sûr, me regrettent amèrement* : l'un de ces bons amis s'appelait Caderousse ».

Caderousse frémit.

« L'autre, s'appelait Danglars ; le troisième, a-t-il ajouté, bien que mon rival, m'aimait aussi, et s'appelait Fernand ; quant à ma fiancée son nom était … »

– Je ne me rappelle plus le nom de la fiancée, dit l'abbé.

– Mercédès, dit Caderousse.

– Ah ! oui, c'est cela, répète l'abbé avec un soupir étouffé, Mercédès.

– Mais ce diamant ? demande Caderousse dont les yeux brillent de convoitise*.

– Dantès m'a demandé de le vendre et de partager la somme de la vente entre ces cinq personnes.

– Comment cinq parts ? dit Caderousse, vous ne m'avez nommé que quatre personnes.

– Parce que la cinquième est morte, à ce qu'on m'a dit … La cinquième était le père de Dantès.

– Hélas ! oui, dit Caderousse ému ; hélas ! oui, le pauvre homme, il est mort.

– J'ai appris cet événement à Marseille, répond l'abbé en faisant

écrin coffret.
amèrement avec une profonde tristesse.
convoitise envie, désir malsain de s'approprier quelque chose.

un effort pour paraître indifférent, mais il y a si longtemps que cette mort est arrivée que je n'ai pu recueillir aucun détail … Sauriez-vous quelque chose de la fin de ce vieillard, vous ?

– Eh ! dit Caderousse, qui peut savoir cela mieux que moi ? … Je demeurais porte à porte avec le bon homme … Eh ! mon Dieu ! oui : un an à peine après la disparition de son fils, il mourut, le pauvre vieillard !

– Mais, de quoi est-il mort ?

– Ceux qui le connaissaient ont dit qu'il était mort de douleur … et moi, qui l'ai presque vu mourir, je dis qu'il est mort …

Caderousse s'arrête.

– Mort de quoi ? répète avec anxiété le prêtre.

– Eh bien, mort de faim !

– De faim ? s'écrie l'abbé bondissant sur son escabeau*, de faim ! les plus vils animaux ne meurent pas de faim ! Oh ! c'est impossible !

– J'ai dit ce que j'ai dit, reprit Caderousse. Quant à ceux que le pauvre Edmond vous a dit être ses amis …

– Ne l'étaient-ils donc pas ? dit l'abbé.

– Dantès, qui était un coeur d'or, appelait tous ces gens-là ses amis … Pauvre Edmond ! … Il vaut mieux* qu'il n'ait rien su ; il aurait eu trop de peine à leur pardonner au moment de la mort …

– Je ne vous comprends plus, dit l'abbé, ces gens étaient-ils ou n'étaient-ils pas ses amis ?

– Peut-on être l'ami de celui dont on convoite la femme ? répond Caderousse. Mais c'est une histoire compliquée.

– Racontez-la-moi.

– Ce serait trop long. Sans compter que ces gens peuvent m'écraser d'un geste, dit l'aubergiste en regardant autour de lui de crainte d'être

escabeau siège sans dossier.

il vaut mieux il est préférable.

entendu. Ils sont devenus riches et puissants.

– Tant pis, dit l'abbé en faisant mine* de remettre le diamant dans sa poche ; donnez-moi au moins l'adresse des amis d'Edmond, afin que je puisse leur apporter leur part.

– Non, ce serait trop injuste, proteste alors Caderousse. Je veux, je dirai même plus, je dois vous détromper* sur ces amitiés que le pauvre Edmond croyait sincères et dévouées.

Et Caderousse, un verre de vin après l'autre, libère sa conscience d'un fardeau* qu'il traîne depuis plus de quatorze ans : la lettre écrite par Danglars, ramassée par Fernand, l'arrestation d'Edmond le jour de ses fiançailles, les larmes de Mercédès, la douleur du pauvre père Dantès. Il dit tout, Caderousse, y compris sa lâcheté : il aurait voulu parler mais la peur d'être dénoncé lui aussi comme agent bonapartiste l'avait retenu.

– J'ai eu peur de passer pour son complice, dit-il ; j'ai été lâche, j'en conviens, mais ce n'est pas un crime.

– Vous m'avez nommé plusieurs fois un certain Morrel, dit l'abbé.

– C'est l'armateur du *Pharaon*, explique l'aubergiste, le patron d'Edmond.

– Et quel rôle a joué cet homme dans toute cette triste affaire ?

– Le rôle d'un homme honnête, courageux et affectionné, Monsieur. Vingt fois il intercéda pour Edmond ; Quand le père Dantès est mort, c'est lui qui paya son enterrement.

– Et, demande l'abbé, ce Morrel vit-il encore ?

– Oui, dit Caderousse.

– En ce cas, ce doit être un homme béni de Dieu, il doit être riche … heureux ? …

Caderousse sourit amèrement.

en faisant mine en faisant remblant.
détromper tirer quelqu'un d'erreur, lui ouvrir les yeux.
fardeau ici, ce qui est pénible à supporter.

– Oui, heureux, comme moi, dit-il.

– Un tel homme serait malheureux ! s'écrie l'abbé.

– Il touche à la misère, Monsieur, et bien plus, il touche au déshonneur.

– Comment cela ?

– C'est pourtant la vérité : après vingt-cinq ans de travail, Morrel est ruiné de fond en comble*.

– Ruiné ?! s'exclame l'abbé.

– Parole de Caderousse. Des voyageurs de passage m'ont appris qu'il était au bord de la faillite.

– Et Danglars. Qu'est-il devenu ? C'est le plus coupable, n'est-ce pas, l'instigateur ?

– Ce qu'il est devenu ? il a quitté Marseille ; il est entré, sur la recommandation de Morrel, qui ignorait son crime, au service d'un banquier espagnol ; à l'époque de la guerre d'Espagne* il s'est chargé des fournitures de l'armée française et a fait fortune grâce à ses relations. C'est un ambitieux, calculateur et opportuniste. Il a commencé par épouser la fille de son banquier ; devenu veuf, il a épousé en seconde noces une veuve, fille du chambellan du roi actuel. Il s'était fait millionnaire, on l'a fait baron ; de sorte qu'il est baron Danglars maintenant, qu'il a un hôtel rue du Mont-Blanc, dix chevaux dans ses écuries, six laquais* dans son antichambre, et je ne sais combien de millions dans ses caisses.

– Et Fernand ?

– Fernand, c'est bien autre chose encore. Fernand était tombé à la conscription*, il devait partir à la guerre. Le retour des Bourbons l'avait sauvé. Mais ce ne fut qu'un répit car lorsque l'empereur est revenu, après avoir quitté l'île d'Elbe, il fut bien obligé de partir combattre. La

de fond en comble complètement.
guerre d'Espagne (1823) expédition militaire française en soutien au roi Ferdinand VII menacé par une insurrection populaire.
laquais serviteurs.
conscription service militaire obligatoire.

veille de la bataille de Waterloo, il était de planton* à la porte du général qui commandait son armée ; or celui-ci avait décidé de trahir Napoléon et avait pris contact avec l'ennemi. Cette nuit même son général devait rejoindre les Anglais. Il proposa à Fernand de l'accompagner ; Fernand accepta, quitta son poste et suivit le général. Ce qui lui aurait valu le conseil de guerre si Napoléon était resté sur le trône lui servit de recommandation auprès des Bourbons : il fut nommé colonel et reçut la croix d'officier de la Légion d'honneur avec le titre de comte de Morcerf. Ensuite, il participa à la guerre d'Espagne où il s'illustra grâce à l'appui de Danglars. Envoyé en Grèce lors du soulèvement des Grecs contre la Turquie*, il entra au service d'Ali Pacha qui lui aurait versé une somme considérable pour ses bons et loyaux services.

– Vraiment ? demande l'abbé.

– C'est la version officielle, dit l'aubergiste ; Fernand était le conseiller militaire de la place forte de Janina. Ali Pacha avait toute confiance en lui. Ceci expliquerait cela. Mais on raconte que cet argent lui a été versé par les Turcs en échange de sa trahison : il leur aurait livré le château et toute sa garnison.

– Une trahison de plus, murmure Edmond.

– Mais les forfaits de cet imposteur ne s'arrêtent pas là, Monsieur l'abbé ; après avoir tué Ali Pacha, les Turcs se sont emparés de sa fille et en ont fait une esclave.

– De sorte qu'aujourd'hui ? ... demande l'abbé.

– De sorte qu'aujourd'hui, poursuit Caderousse, Fernand possède un hôtel magnifique à Paris, rue du Helder, n° 27. C'est l'un des hommes les plus puissants de France.

de planton de garde.

guerre d'indépendance grecque (1821-1830).

– Et Mercédès, on m'a assuré qu'elle avait disparu ?

– Disparu, dit Caderousse, oui, comme disparaît le soleil pour se lever le lendemain plus éclatant.

– A-t-elle donc fait fortune aussi ? demande l'abbé avec un sourire ironique.

– Mercédès est à cette heure une des plus grandes dames de Paris, dit Caderousse ; elle est l'épouse de Fernand, comte de Morcerf et pair* de France.

– L'avez-vous revue, demande le prêtre.

– Oui, au moment de la guerre d'Espagne, à Perpignan où Fernand l'avait laissée ; elle faisait alors l'éducation de son fils.

– De son fils ?

– Oui, répond Caderousse, il s'appelle Albert. Elle est riche, elle est comtesse, et cependant ...

– Cependant quoi ? demande l'abbé.

– Cependant, je suis sûr qu'elle n'est pas heureuse, dit Caderousse.

– Et ce Villefort ? demande l'abbé pour dissimuler son trouble.

– Oh ! lui n'avait pas été mon ami ; je ne le connaissais pas personnellement.

– Mais ne savez-vous point ce qu'il est devenu, et la part qu'il a prise au malheur d'Edmond ?

– Tout ce que je sais, c'est que quelque temps après l'arrestation d'Edmond Dantès, il a épousé Mademoiselle de Saint-Méran, et qu'il a quitté Marseille. Resté veuf quelques années plus tard avec une enfant prénommée Valentine, il s'est remarié et a un fils de sa seconde femme, Edouard – je l'ai lu récemment dans un journal que l'on m'avait rapporté de Paris. C'est là qu'il doit demeurer à présent. Sans doute que le bonheur lui aura souri comme aux autres, sans

pair membre de l'assemblée législative (Chambre des pairs) entre la chute de Napoléon (1814) et la Seconde République (1848).

doute qu'il est riche comme Danglars, considéré comme Fernand ; moi seul, vous le voyez, suis resté pauvre, misérable et oublié de Dieu.

– Vous vous trompez, mon ami, dit l'abbé : Dieu peut paraître oublier parfois, quand sa justice se repose ; mais il vient toujours un moment où il se souvient, et en voici la preuve.

À ces mots, l'abbé prend le diamant, et le présentant à Caderousse :

– Tenez, mon ami, lui dit-il, prenez ce diamant, car il est à vous.

– Comment, à moi seul ! s'écrie Caderousse.

– Ce diamant devait être partagé entre ses amis : Edmond n'avait qu'un seul ami, le partage devient donc inutile. Prenez ce diamant et vendez-le ; il vaut cinquante mille francs, au moins, et cette somme, je l'espère, suffira pour vous tirer de la misère.

En quittant Caderousse – à ses yeux le moins coupable des trois –, et ayant obtenu de lui suffisamment d'informations pour retrouver la trace des scélérats qui lui ont volé sa vie, Edmond ne peut s'empêcher de repenser à l'abbé Faria : « Ne songez pas à vous venger, lui avait-il dit avant de mourir ; vous y perdriez votre âme ». Son âme ? Edmond l'avait perdue le jour de ses fiançailles, alors ... Alors tant pis. « Il le faut, l'abbé, murmure le comte de Monte-Cristo en montant sur son cheval, il le faut. »

Compréhension orale et écrite

1 Coche la bonne réponse.

1 Caderousse se confie à l'abbé Busoni
- ☐ parce qu'il est jaloux de la réussite de Danglars et de Fernand.
- ☐ parce qu'il espère avoir le diamant pour lui seul.
- ☐ parce qu'il a des remords.

2 L'abbé Busoni
- ☐ explique à Caderousse d'où provient le diamant qu'il lui montre.
- ☐ révèle à l'aubergiste sa véritable identité.
- ☐ lui demande des nouvelles du *Pharaon*.

3 D'après les « dernières volontés » d'Edmond Dantès, le diamant doit être partagé entre
- ☐ quatre.
- ☐ cinq.
- ☐ six personnes.

4 Pourquoi Caderousse corrige-t-il l'abbé sur le nombre des bénéficiaires ?
- ☐ parce que Mercédès et Fernand, étant mariés ne doivent recevoir qu'une part.
- ☐ parce que le père d'Edmond Dantès est mort.
- ☐ parce que Villefort aussi doit recevoir sa part.

5 Danglars
- ☐ est depuis l'arrestation d'Edmond le capitaine du *Pharaon*.
- ☐ a quitté la France
- ☐ a épousé Mercédès

6 Fernand
- ☐ est devenu l'une des personnalités les plus en vue de Paris.
- ☐ est devenu marin, comme Edmond.
- ☐ n'a pas quitté Marseille.

7 Mercédès
- ☐ est morte de chagrin.
- ☐ s'est retirée dans un couvent.
- ☐ a épousé Fernand.

8 Villefort
☐ a deux enfants, une fille et un fils de sa seconde épouse.
☐ est devenu procureur du roi, à Marseille.
☐ a épousé Mercédès.

9 Albert de Morcerf
☐ est le fils de Villefort.
☐ est le fils de Fernand et de Mercédès.
☐ est le fils de Danglars.

2 **Pendant et après les Cent-Jours. Complète le récit en rétablissant l'ordre logique des phrases en rouge.**

Quand Napoléon fut de retour à Paris, Dantès eut peur que Danglars ne soit libéré ....
Il se fit recommander par monsieur Morrel à un négociant espagnol. Pour Madrid Il partit donc, et de lui parler l'on n'entendit plus. ....
Fernand ne chercha pas Dantès à ce savoir qu'était devenu .... Mais il profita de son absence pour abuser Mercédès sur les motifs de cette absence. Il fut sous les drapeaux à la veille de Waterloo appelé .... Fernand partit comme tant d'autres.
Toujours Fernand avait aimé Mercédès d'amitié .... ; son amitié s'augmenta pour lui d'un nouveau sentiment, la reconnaissance.
Caderousse fut appelé, comme Fernand ; seulement comme que le Catalan il avait huit ans de plus .... , et qu'il était marié, il ne partit pas à la guerre.
Le vieux Dantès, qui n'était plus soutenu que par l'espoir, perdit l'empereur à la chute de l'espoir ....
Il est mort cinq mois après l'arrestation de son fils.
M. Morrel paya son enterrement. Il y avait plus que de la bienfaisance à agir ainsi, il y avait du courage: secourir, même à son lit de mort, le père d'un crime aussi dangereux que bonapartiste était un Dantès ....
Louis XVIII remonta sur le trône. Villefort, pour qui Marseille était plein de souvenirs devenus pour lui des remords, épousa la place de procureur et obtint Renée de Toulouse à Saint-Méran ....

Vocabulaire et grammaire

3 Trouve dans la grille le correspondant au passé simple des verbes de la liste conjugués au passé composé. (Attention : les verbes peuvent se lire horizontalement, verticalement et en diagonale).

a été ________	a eu ________	a fait ________
est parti ________	a entendu ________	est devenu ________
a perdu ________	a obtenu ________	est mort ________
a suivi ________	a servi ________	a participé ________
est entré ________	a vécu ________	a écrit ________

	A	B	C	D	E	F	G	H	I	J	K	L	M	N	O
1	W	G	P	A	R	T	I	C	I	P	A	G	O	E	Q
2	S	L	B	K	J	R	H	I	B	C	M	N	F	N	D
3	P	P	A	R	T	I	T	P	A	R	C	O	Q	T	M
4	D	Q	N	N	G	B	F	S	Y	N	B	B	H	R	X
5	V	Y	M	W	E	N	T	E	N	D	I	T	T	A	D
6	X	O	X	O	N	P	S	J	T	E	Q	I	B	J	K
7	F	F	Z	X	U	L	U	K	X	V	J	N	W	C	U
8	I	N	U	V	L	R	H	P	H	I	U	T	G	Y	X
9	T	G	C	T	P	W	U	I	S	N	I	P	Z	S	V
10	W	N	J	S	G	E	P	T	E	T	D	F	A	U	Q
11	X	V	Q	E	D	S	R	W	V	F	K	E	H	I	E
12	Y	Y	É	P	S	X	Q	D	N	Y	O	U	R	V	Q
13	K	R	L	C	Q	É	C	R	I	V	I	T	I	I	M
14	N	I	I	K	U	P	V	D	Y	T	Q	V	L	T	M
15	S	E	R	V	I	T	E	U	M	C	K	U	W	G	J

4 Complète la description de Caderousse tel que l'a vu l'abbé Busoni en arrivant à son auberge.

barbe - cheveux - dents - grand - nez - poils - teint - tête type - visage – yeux.

L'hôtelier pouvait être un homme de quarante à quarante-cinq ans, **(1)**_____ , sec et nerveux, véritable **(2)**_____ méridional avec ses **(3)**_____ enfoncés et brillants, son **(4)**_____ en bec d'aigle et ses **(5)** _____ blanches comme celles d'un animal carnassier. Ses **(6)**_____ , qui semblaient, malgré les premiers souffles de l'âge, ne pouvoir se décider à blanchir, étaient, ainsi que sa **(7)**_____ , qu'il portait en collier, épais, crépus et à peine parsemés de quelques **(8)**_____ blancs. Son **(9)**_____ , hâlé naturellement, s'était encore couvert d'une nouvelle couche de bistre par l'habitude que le pauvre diable avait prise de se tenir depuis le matin jusqu'au soir sur le seuil de sa porte, pour voir si, soit à pied, soit en voiture, il ne lui arrivait pas quelque client : attente presque toujours déçue, et pendant laquelle il n'opposait à l'ardeur dévorante du soleil d'autre protection pour son **(10)** _____ qu'un mouchoir rouge noué sur sa **(11)** _____ , à la manière des muletiers espagnols. Cet homme, c'était notre ancienne connaissance Gaspard Caderousse.

ACTIVITÉ DE PRÉ-LECTURE

Production orale

5 À deux. Lisez attentivement le récit d'Haydée puis transformez-le en une interview.

Haydée, fille de sultan et esclave

« Mon père était un homme illustre que l'Europe a connu sous le nom d'Ali Tebelin, pacha de Janina, et devant lequel la Turquie a tremblé. Les Turcs, contre qui nous étions en guerre, avaient convaincu la garnison de déposer les armes. Sentant venir le danger, mon père avait alors envoyé au Sultan de Constantinople, l'officier français qui commandait la place et en qui il avait toute confiance. C'est lui qui nous a trahis ! Il a livré Janina aux Turcs, fait tuer mon père et nous a fait conduire, ma mère et moi à Constantinople où j'ai été vendue au sultan Mahmoud. »

Chapitre 7

La faillite de la banque Danglars

De retour à Marseille, Edmond se rend chez Morrel pour le sauver de la faillite*. Se faisant passer pour un agent de son principal créancier*, il gagne sa confiance en lui accordant un délai de paiement. Au cours de la conversation, il apprend que l'armateur a deux enfants. Maximilien, brillant officier, qui est follement amoureux de la fille de Villefort, Valentine, laquelle est malheureusement promise à un jeune aristocrate qu'elle n'aime pas ; et une fille, Julie, fiancée à Emmanuel, le comptable de la Maison Morrel. Il les rencontre en sortant.

« Ô Monsieur ! dit Julie en joignant les mains, mon père vient de m'apprendre la bonne nouvelle … Comment vous remercier ?

– Mademoiselle, dit l'étranger, vous recevrez bientôt une lettre. Faites de point en point ce que vous dira cette lettre, si étrange que vous paraisse la recommandation.

– Oui, Monsieur, répond Julie.

– Me promettez-vous de le faire ?

– Je vous le jure.

– Bien ! Adieu, Mademoiselle. Demeurez toujours une bonne et sainte fille comme vous êtes, et j'ai bon espoir que Dieu vous récompensera.

faillite état du commerçant qui n'est plus en mesure de payer ce qu'il doit.

créancier toute personne à qui est due une somme d'argent.

Quelques jours plus tard, la jeune fille reçoit en effet une étrange lettre qui l'invite à se présenter à la concierge* de l'immeuble où avait vécu le père Dantès. Après avoir lu la lettre, la concierge la conduit au cinquième étage, dans l'ancienne chambre du vieillard. La pièce est vide, mais sur la cheminée la jeune fille remarque une bourse dans laquelle se trouve, payée, la traite* qui risquait de mettre en faillite la Maison Morrel et un diamant de la grosseur d'une noisette, avec ces trois mots écrits sur un petit morceau de parchemin : « Dot* de Julie. ».

Le soir même, le comte de Monte-Cristo quitte Marseille à bord de son yacht, accompagné de Jacopo, l'ancien contrebandier, devenu entre temps l'un de ses plus fidèles serviteurs. « Et maintenant, dit-il, adieu bonté, humanité, reconnaissance ... Adieu à tous les sentiments qui épanouissent le cœur ! ... Je me suis substitué à la Providence pour récompenser les bons ... que le Dieu vengeur me cède sa place pour punir les méchants ! Mais d'abord, retrouvons cette jeune esclave qui m'aidera, le moment venu, à confondre* ce traître de Fernand ! »

Edmond décide de se rendre à Constantinople au marché aux esclaves. Mais auparavant, il fait escale à Civitavecchia et charge Jacopo de retrouver, pendant son absence, la trace d'Albert de Morcerf, le fils de Fernand et de Mercédès ; selon les informations qu'il a reçues alors qu'il se trouvait à Marseille, celui-ci se trouve quelque part en Italie. Jacopo devra prendre contact avec les hommes de Luigi Vampa, un célèbre bandit romain, et leur demander de séquestrer Albert en échange d'une rançon* que le comte de Monte-Cristo leur paiera à son retour.

À Constantinople, l'arrivée du comte ne passe pas inaperçue. Toute la ville parle de ce richissime étranger qui offre de grosses sommes d'argent à quiconque* lui fournira des renseignements sur une jeune esclave prénommée Haydée. Monte-Cristo apprend ainsi

concierge gardienne d'immeuble.
traite lettre de change, reconnaissance de dette.
dot anciennement, somme d'argent qu'apporte une femme à son futur époux.
confondre démasquer.
rançon somme d'argent versée par un prisonnier à ses ravisseurs pour obtenir sa liberté.
quiconque tous ceux qui.

qu'après la mort d'Ali Pacha, la jeune princesse, âgée de cinq ans à peine, fut conduite au bazar pour y être vendue. Achetée par un riche arménien qui la fit instruire, elle fut ensuite revendue au sultan Mahmoud. Elle a aujourd'hui dix-neuf, vingt ans.

Le comte demande à être reçu par le sultan Mahmoud et lui dit qu'il désire voir la jeune fille. Le sultan, flatté*, fait appeler son esclave grecque. Elle arrive, si belle que Monte-Cristo est ébloui par tant de grâce. Une beauté grecque dans toute la perfection de son type, avec ses grands yeux noirs veloutés, son nez droit, ses lèvres de corail et ses dents de perles. Le comte offre au sultan une splendide émeraude en échange de sa belle esclave et, une fois rentré en France, l'installe dans sa somptueuse demeure à Paris. Interrogée sur ses origines, la jeune princesse lui raconte la prise de Janina, la trahison de l'officier français, et l'horrible mort de son père.

– Haydée, dit le comte, après avoir entendu le récit dramatique de la jeune fille, nous sommes en France, et par conséquent tu es libre.

– Libre de quoi faire ? demande la jeune fille.

– Libre de me quitter.

– Te quitter ! ... et pourquoi te quitterais-je ?

– Pour voir le monde, les gens, d'autres que moi.

– Je ne veux voir personne.

– Et si parmi les beaux jeunes gens que tu rencontreras, tu trouvais quelqu'un qui te plaise ...

– Je n'ai jamais vu d'hommes plus beaux que toi, et je n'ai jamais aimé que mon père et toi.

– Tu te rappelles ton père, Haydée ?

La jeune fille sourit.

– Il est là et là, dit-elle en mettant la main sur ses yeux et sur son coeur.

flatté honoré.

– Et moi, où suis-je ? demande en souriant Monte-Cristo.

– Toi, dit-elle, tu es partout.

– Toi aussi, Haydée, tu peux te rendre partout, dit Monte-Cristo en appuyant ses lèvres sur le front de la jeune fille. Cette demeure* est la tienne, mes domestiques sont à ton service. Une voiture est toujours attelée pour te conduire où tu voudras. Mais, dis-moi, te souviens-tu de l'officier français qui a trahi ton père, l'as-tu vu ?

– Comme je te vois en ce moment, je n'oublierai jamais son visage. Et si je le rencontrais dans dix ans, vingt ans même, je le reconnaîtrais.

– Tu le rencontreras plus tôt que tu ne penses, Haydée ; mais en attendant, je te demande ...

– Quoi donc ? dit Haydée en regardant le comte droit dans les yeux.

– Ne répète à personne ce qui s'est passé à Janina, ne révèle à personne ta véritable identité ; le moment venu, je te le promets, tu sera vengée, toi aussi.

▶ 8 « Occupons-nous à présent de Danglars, se dit Edmond. » Quelques jours plus tard, le banquier reçoit une lettre d'une grande banque italienne qui lui demande d'ouvrir un crédit illimité* à M. le comte de Monte-Cristo. Danglars qui, comme tout le monde à Paris, a entendu parler de ce mystérieux et richissime étranger, comprend qu'il y a beaucoup d'argent à gagner avec ce milliardaire excentrique qui dilapide* son argent en fêtes somptueuses. Si bien que lorsque le comte de Monte-Cristo, quelques jours plus tard, demande à être reçu par le banquier Danglars, celui-ci l'accueille à bras ouverts*.

– De combien d'argent voulez-vous pouvoir disposer, Monsieur le comte ? demande Danglars ; un million ?

– Et que ferais-je d'un million ? dit le comte. Bon Dieu ! Monsieur,

demeure maison.
ouvrir un crédit illimité permettre à quelqu'un d'obtenir autant d'argent qu'il le désire.
dilapide gaspille.
à bras ouverts très chaleureusement.

si j'avais voulu un million, je ne me serais pas fait ouvrir un crédit pour une pareille misère. Un million ? mais j'ai toujours un million dans mon portefeuille. »

– Alors, combien ? demande timidement Danglars.

– Si vous le voulez bien, fixons une somme générale pour la première année : six millions, par exemple.

– Six millions, soit ! dit Danglars suffoqué*.

– S'il me faut plus, reprend machinalement* Monte-Cristo, nous mettrons plus ; mais je ne compte rester qu'une année en France, et pendant cette année je ne crois pas dépasser ce chiffre … enfin nous verrons …

L'appât du gain* ayant séduit Danglars, le comte passe alors à la seconde partie de son plan. Il laisse s'écouler un mois puis se rend au télégraphe de l'Observatoire et offre à l'employé vingt-cinq mille francs pour transmettre une fausse nouvelle qui, une fois arrivée à destination, fera chuter le cours des actions de la banque Danglars. Averti par un de ses amis journalistes avant que la nouvelle ne se répande, Danglars se précipite à la Bourse et découvre que le cours de ses actions est en train de baisser dangereusement. Croyant bien faire, il donne l'ordre de vendre et parvient ainsi à sauver une partie de son capital. Le lendemain, le piège se referme : l'annonce de ce que tout le monde croit être une erreur du télégraphiste fait immédiatement remonter les actions qui avaient chuté la veille ; pour le banquier, c'est une catastrophe: contraint* de racheter plus cher ses propres actions, il perd plusieurs millions en moins d'une heure et vient à manquer de liquidités*. C'est alors que se présente Monte-Cristo pour exiger le versement des six millions du crédit que Danglars lui avait accordé.
– Mon crédit chez vous est de six millions, dit le comte; j'ai pris neuf

suffoqué surpris au point d'avoir du mal à respirer.
machinalement comme si de rien n'était, sans y attacher d'importance.
l'appât du gain l'occasion de gagner de l'argent.
contraint obligé.
liquidités argent comptant.

cent mille francs, il me reste cinq millions cent mille francs. Je suis venu les retirer de votre banque, car il faut vous dire que j'ai fort besoin d'argent aujourd'hui. Tenez, voici le reçu, ma banque en Italie vous paiera dès que vous le lui présenterez.

Danglars est terrorisé, l'affaire du télégraphe lui a fait perdre une grande partie de ses dépôts : en retirant son argent, Monte-Cristo l'accule* à la faillite.

– Quoi ! balbutie-t-il, quoi ! Monsieur le comte, vous prenez cet argent ? Mais, pardon, pardon, c'est à peu près la somme que je dois aux hospices de la charité – toutes leurs aumônes* –, et j'avais promis de payer ce matin.

– Peut-être préférez-vous que l'on sache que la banque Danglars ne m'a pas payé comptant l'argent qu'elle me doit ?

– Non, non ! dit Danglars qui n'hésite pas un instant à sacrifier l'argent des pauvres et des orphelins de la charité publique pour éviter le scandale. Prenez ce qu'il vous faut et donnez-moi votre reçu.

– Le voici, dit Monte-Cristo. Cet argent vous sera naturellement rendu à Rome lorsque vous présenterez ce billet à ma banque.

– Danglars prend le papier que lui présente le comte, et lit :

> *Reçu de M. le baron Danglars la somme de cinq millions cent mille francs, dont il se remboursera à volonté sur la maison Thomson et French, de Rome.*

– Tout est en ordre, dit-il, vous pouvez disposer de votre argent, Monsieur le comte.

Puis, prétextant une affaire urgente, Danglars salue Monte-Cristo et quitte précipitamment la banque.

l'accule le pousse (à la faillite).
aumônes petites sommes d'argent données aux pauvres.

Rentré chez lui, il s'enferme à double tour, vide son coffre-fort, réunit une cinquantaine de mille francs en billets de banque, brûle des papiers compromettants*. « Demain, je serai loin, murmure-t-il en prenant son passeport. »

La faillite de la banque Danglars est un immense scandale. Morcerf - alias Fernand, et Villefort tremblent pour leur argent. Et pas seulement. Depuis quelque temps des rumeurs concernant la trahison du pacha de Janina circulent dans Paris ; on parle de témoins, de dénonciations anonymes : qui est l'officier français qui aurait fait assassiner le père d'Haydée et réduit la princesse en esclavage ?

Après avoir quitté Danglars, Monte-Cristo se rend immédiatement en Italie : le jeune Albert de Morcerf, à Rome pour les fêtes du Carnaval, a été enlevé, comme convenu, par le redoutable bandit romain, Luigi Vampa. « À nous deux, Fernand ! » se dit le comte en entrant dans les catacombes de *San Sebastiano* qui tiennent lieu de repaire aux bandits.

– Venez, Excellence ! » dit Vampa, votre protégé est là.

Monte-Cristo voit alors Albert, le fils de Mercédès, couché dans un coin et dormant du plus profond sommeil.

Vampa s'approche d'Albert et lui touchant l'épaule :

– Excellence ! dit-il, réveillez-vous, vous êtes libre.

– On a donc payé ma rançon ?

– Non, Excellence.

– Eh bien, alors, comment suis-je libre ?

– Quelqu'un, à qui je n'ai rien à refuser, est venu vous réclamer.

– Jusqu'ici ?

compromettants dangereux, qui pourraient lui attirer des ennuis.

– Jusqu'ici.

– Ah ! pardieu, ce quelqu'un-là est bien aimable !

– Il est devant vous, Excellence, dit Vampa, je vous présente le comte de Monte-Cristo.

– Ah pardieu ! Monsieur le comte, dit gaiement Albert en rajustant sa cravate et ses manchettes, vous êtes un homme véritablement précieux, et j'espère que vous me regarderez comme votre éternel obligé. Je rentre à Paris demain, me ferez-vous l'honneur de m'accompagner ?

– J'en serai ravi, dit le comte, mais des affaires me retiennent encore quelques jours à Rome.

– Nous reverrons-nous, demande Albert, fasciné par cet homme mystérieux.

– Mais certainement, mon jeune ami, mais certainement.

Resté seul avec Vampa, Monte-Cristo lui explique qu'un certain Danglars viendra prochainement à Rome pour retirer l'argent du reçu qu'il lui a signé.

– Vous le mettrez dans la même pièce que le jeune homme qui vient de sortir, dit le comte.

– Bien, Excellence.

– Et faites-vous payer très cher la nourriture et l'eau qu'il vous demandera.

– Combien ? demande le bandit.

– À prix d'or, mon ami. Et lorsque vous lui aurez vidé ses poches, prévenez-moi.

– Bien, Excellence.

Deux semaines plus tard, Danglars est prélevé à son arrivée à Rome alors qu'il s'apprête à fuir en Autriche, et enfermé dans les catacombes. Comme Albert. Après plusieurs jours passés sans manger, le banquier, tenaillé par la faim, demande à parler au chef des bandits.

– Les gens qui vous arrêtent et qui vous emprisonnent devraient au moins nourrir leurs prisonniers, lance-t-il rageusement à Vampa.

– Il suffit de demander, Excellence. Que désirez-vous ?

– Eh bien, un poulet, un poisson, du gibier, n'importe quoi, pourvu que je mange.

– Comme il plaira à Votre Excellence ; nous disons un poulet, n'est-ce pas ?

– Oui, un poulet.

« Un poulet pour Son Excellence ! Vite ! » crie Vampa à ses hommes.

– Voilà, Excellence , dit Vampa en prenant le poulet des mains du jeune bandit qui venait de le lui apporter. C'est cent mille francs.

– Quoi ?! s'étrangle Danglars, cent mille francs pour une poulet ?

– Ici, Excellence, tout coûte cent mille francs : le poulet, le poisson, le gibier, mais aussi le pain et l'eau. Payez et vous aurez à manger.

– Mais je n'ai pas tant d'argent sur moi ! s'exclame Danglars.

– Je vous ai préparé des reçus, Excellence, vous n'aurez qu'à les signer.

Compréhension écrite

1a Vrai (V) ou faux (F) ? Justifie tes réponses en citant le texte (corrige seulement les fausses affirmations).

1 [A] À Constantinople, le comte de Monte-Cristo retrouve Fernand.
Justification ....
....

2 [B] Le fils de Morrel est amoureux de la fille de Villefort, Julie.
Justification ....
....

3 [C] Edmond charge un bandit italien d'enlever Albert, le fils de Fernand de Morcerf
Justification ....
....

4 [D] À Rome, Monte-Cristo libère le fils de Fernand et de Mercédès, prisonnier du bandit Luigi Vampa.
Justification ....
....

5 [E] Le comptable de la Maison Morrel est à présent son fils, Maximilien.
Justification ....
....

6 [F] Danglars, prisonnier de Vampa, refuse de manger la nourriture que les bandits lui offrent.
Justification ....
....

7 [G] Ruiné, Danglars quitte Paris avec l'argent des pauvres et des orphelins que sa banque avait en dépôt.
Justification ....
....

8 [H] De retour à Marseille, Edmond se rend chez Morrel pour le sauver de la faillite.

Justification ....
....

9 [I] Le comte de Morcerf est inquiet à cause des rumeurs qui circulent sur son compte.

Justification ....
....

10 [J] Le comte de Monte-Cristo invite la fille de Morrel à se rendre sur l'île dont il porte le nom.

Justification ....
....

11 [K] Monte-Cristo est reçu par le banquier Danglars qui le reconnaît et le chasse de sa banque.

Justification ....
....

12 [L] Les bandits romains sous les ordres de Vampa enlèvent Danglars venu à Rome encaisser l'argent du reçu que lui a signé Monte-Cristo.

Justification ....
....

1b Ordonne les phrases selon l'ordre chronologie du récit.

1 H **2** __ **3** __ **4** __ **5** __ **6** __ **7** __ **8** __ **9** __ **10** __ **11** __ **12** __

2 Dialogue entre Monte-Cristo (M) et le télégraphiste (T). Rétablis l'ordre logique des questions de l'un et des réponses de l'autre.

1 J'aime bien mieux cela.
2 Parce que, de cette façon, je n'ai pas de responsabilité.
3 Depuis combien de temps êtes-vous ici?
4 Je serais renvoyé et je perdrais ma pension.
5 Que se passerait-il si vous changiez quelque chose au signal, ou si vous en transmettiez un autre?
6 On m'a dit que vous répétiez des signaux que vous ne compreniez pas vous-même.
7 Mille francs.
8 Et combien recevez-vous d'appointements?
9 Depuis quinze ans.
10 Que dois-je faire?
11 Vous avez des jours de congé?
12 Ce n'est pas beaucoup.
13 Non; mais je suis logé.
14 Lesquels?
15 Oui.
16 Ceux où il fait du brouillard.
17 Répéter les signes que voici.
18 Regardez, voici vingt-cinq mille francs.
19 Pourquoi?

A M6 T1 **B** ☐ ☐ **C** ☐ ☐ **D** ☐ ☐ **E** ☐ ☐
F ☐ ☐ **G** ☐ ☐ **H** ☐ ☐ **I** ☐ ☐ **J** ☐

Grammaire du texte

3 Qui est Luigi Vampa ? Lis la présentation du bandit romain en choisissant la bonne orthographe dans les paires de mots proposées.

Fils de berger de la campagne ☐ romain ☐ romaine, le petit Luigi Vampa ☐ avait révélé ☐ avait révéler très tôt une intelligence hors du commun. Un jour, à l'âge de sept ans, il était venu trouver le curé de de son village, et l'avait prié de lui apprendre à lire et à écrire. Le prêtre ☐ accepta ☐ acceptat et, au bout de six mois, l'enfant ☐ savait ☐ savaient lire et écrire. Il grandit ainsi seul au

milieu de ☐ ses ☐ ces moutons et des livres que lui ☐ prêtait ☐ prêtaient le bon curé, sans autre connaissance qu'une petite fille de son âge qui ☐ s'appelait ☐ s'appellait Teresa et qui gardait elle aussi les moutons dans un village voisin. Les deux enfants se rencontraient chaque jour, s'asseyaient l'un près de l'autre, causaient, riaient et jouaient. Une dizaine ☐ d'année ☐ d'années plus tard, ils étaient devenus inséparables. Cependant, Luigi veillait ☐ constamment ☐ constemment sur sa ☐ fiancée ☐ fiançée car la campagne romaine était alors ☐ infestée ☐ infesté de brigands qui pratiquaient l'enlèvement et la séquestration contre rançon, mais aussi le rapt des jeunes filles. Un jour, alors qu'il se rendait à leur rendez-vous quotidien, il entendit un cri et vit à une centaine de mètres Teresa se débattant de toutes ☐ ces ☐ ses forces entre les mains d'un bandit qui l'entraînait vers le bois tout proche. Le jeune pâtre prit son fusil qu'il ne quittait jamais, visa et fit feu. L'homme tomba foudroyé. Vampa s'approcha du cadavre et ☐ reconnut ☐ reconnu le redoutable chef de la bande de brigands qui ☐ écumait ☐ écumaient la région. Le soir même, accompagné de Teresa, et portant le bandit mort sur son dos, il se rendit dans le bois qui servait de repaire aux brigands et ☐ jeta ☐ jetta au milieu de l'assemblée la dépouille du bandit en ☐ leur ☐ leurs disant :
– J'ai tué votre chef ; je viens vous proposer de le ☐ remplacer ☐ remplacé. Une heure après, Luigi Vampa était élu capitaine.

ACTIVITÉ DE PRÉ-LECTURE

Production écrite

4 Un seul de ces événements aura effectivement lieu dans le prochain chapitre. Lequel, à ton avis? Fais le récit de l'option de ton choix.

- ☐ Danglars est tué par Vampa alors qu'il tente de s'échapper.
- ☐ Fernand se rend à Rome pour libérer Danglars.
- ☐ Villefort fait arrêter Monte-Cristo, accusé d'avoir corrompu le télégraphiste de l'Observatoire.
- ☐ Edmond rencontre Mercédès.
- ☐ Maximilien Morrel épouse Valentine, la fille de Villefort.

Chapitre 8

La rencontre

Le lendemain, Danglars fait appeler le chef des bandits. L'instant d'après, Luigi Vampa est devant lui.

– Vous m'appelez ? demande-t-il au prisonnier.

– C'est vous, Monsieur, qui êtes le chef des personnes qui m'ont amené ici?

– Oui Excellence.

– Que désirez-vous de moi pour rançon ? Parlez.

– Mais tout simplement les cinq millions que vous portez sur vous.

– Qui vous l'a dit ?

– Celui auquel nous obéissons.

– Je croyais que vous-même étiez le chef ?

– Je suis le chef de ces hommes ; mais un autre homme est mon chef à moi.

– Et ce chef obéit-il à quelqu'un ?

– Oui.

– À qui ?

– À Dieu.

– Quel est son but ?

– Je n'en sais rien.

– Mais quand je n'aurai plus d'argent pour vous payer !

– Alors vous aurez faim.

– J'aurai faim ? dit Danglars terrorisé.
– Et soif, répond flegmatiquement* Vampa.
– Tuez-moi plutôt.
– Il nous est défendu* de verser votre sang, Excellence.
– Vous dites que vous ne voulez pas me tuer ?
– Non.
– Et vous voulez me laisser mourir de faim ?
– Ce n'est pas la même chose, dit Vampa. C'est pire.

▶ 9 De retour à Paris, Monte-Cristo se rend à une invitation du comte et de la comtesse de Morcerf, un grand dîner, suivi d'un bal.

– Comment vous remercier, Monsieur le comte ? Albert vous doit la vie, et moi, sa mère, une reconnaissance éternelle, dit madame de Morcerf en l'accueillant dans son salon.

Edmond, qui revoit Mercédès après tant d'années, s'incline profondément pour ne pas laisser voir l'émotion qui empourpre* son visage. Ce faisant*, il ne peut voir le trouble qui s'est emparé de la comtesse lorsque, pour un instant, son regard a rencontré le sien.

– Venez, il fait trop chaud dans ce salon, dit-elle en l'entraînant dans le parc. Je voudrais vous montrer ma serre.

En entrant dans le bâtiment, la comtesse quitte le bras de Monte-Cristo et cueille une grappe de raisin.

– Tenez, Monsieur le comte, dit-elle avec un sourire, tenez, nos raisins de France ne sont point comparables, je le sais, à vos raisins de Sicile et de Chypre, mais vous serez indulgent pour notre pauvre soleil du Nord.

Le comte s'incline, et fait un pas en arrière.

flegmatiquement avec nonchalance.
il nous est défendu il nous est interdit.
empourpre fait rougir.
ce faisant en faisant ceci.

– Vous me refusez ? dit Mercédès d'une voix tremblante.

– Madame, répond Monte-Cristo, je vous prie bien humblement de m'excuser, mais je ne mange jamais de muscat.

– Monsieur le comte, dit Mercédès en regardant Monte-Cristo d'un œil suppliant, il y a une touchante* coutume arabe qui fait amis éternellement ceux qui ont partagé le pain et le sel sous le même toit.

– Je la connais, Madame, mais nous sommes en France et non en Arabie, et en France, il n'y a pas plus d'amitiés éternelles que de partage du sel et du pain.

– Mais nous sommes amis, n'est-ce pas ?

– Certainement que nous sommes amis, Madame ; d'ailleurs, pourquoi ne le serions-nous pas ?

S'ensuit une longue promenade silencieuse dans les allées du parc. « M'a-t-elle reconnue ? » se demande Edmond. « Est-ce lui ? s'interroge Mercédès ; Edmond ? Non, c'est impossible, ce ne peut pas être lui. »

– Monsieur, reprend tout à coup la comtesse, est-il vrai que vous ayez tant vu, tant voyagé, tant souffert ?

– J'ai beaucoup souffert, oui, Madame, répond Monte-Cristo.

– Êtes-vous marié ?

– Moi, marié, répond Monte-Cristo en tressaillant*, qui a pu vous dire cela ?

– On ne me l'a pas dit, mais plusieurs fois on vous a vu en compagnie d'une jeune et belle personne.

– C'est une esclave que j'ai achetée à Constantinople, Madame, une fille de prince dont j'ai fait ma fille, n'ayant pas d'autre affection au monde.

– Vous vivez seul ainsi ?

– Je vis seul.

touchante qui touche le coeur, procure une émotion.
en tressaillant sous le coup d'un mouvement involontaire du corps dû à l'émotion.

– Vous n'avez pas de sœur … de fils … de père ? …

– Je n'ai personne.

– Comment pouvez-vous vivre ainsi, sans rien qui vous attache à la vie ?

– Ce n'est pas ma faute, Madame. À Malte, j'ai aimé une jeune fille et j'allais l'épouser, quand la guerre est venue et m'a enlevé loin d'elle comme un tourbillon*. J'avais cru qu'elle m'aimait assez pour m'attendre, pour demeurer fidèle même à mon tombeau. Quand je suis revenu, elle était mariée.

– Comme je vous comprends ! dit la comtesse ; cet amour vous est resté au cœur … On n'aime bien qu'une fois … Et avez-vous jamais revu cette femme ?

– Jamais.

– Jamais !

– Et lui avez-vous pardonné ce qu'elle vous a fait souffrir ?

– À elle, oui.

– Mais à elle seulement ; vous haïssez* toujours ceux qui vous ont séparé d'elle ?

La comtesse se place en face de Monte-Cristo, elle tient encore à la main un fragment de la grappe parfumée. Leurs yeux se rencontrent un instant, pour la première fois depuis le début de leur entretien. Edmond regarde intensément celle qu'il a tant aimée.

– Prenez, dit-elle en baissant les yeux.

– Jamais je ne mange de muscat, Madame.

Rentré au salon, Monte-Cristo rencontre Albert.

– Vous avez vu ma mère ? demande Albert.

– Je viens d'avoir l'honneur de la saluer, dit le comte, mais je n'ai point aperçu votre père.

tourbillon ici, grande agitation.

haïssez détestez.

– Tenez ! il parle de politique, là-bas, dans ce petit groupe de grandes célébrités : un académicien, un savant, un pair de France ; il est à côté du procureur du roi.

– Ah ! dit le comte qui reconnaît immédiatement Villefort.

– Venez, ils meurent d'envie de faire votre connaissance.

En vérité, c'est la faillite du banquier Danglars qui les préoccupait tous. Qu'était devenu le baron, où se cachait-il ? Morcerf était le plus inquiet, les insinuations* sur son compte se précisaient ; on parlait de témoins directs, de lettres de dénonciation : la mort d'Ali-Pacha le torturait. Qui pouvait bien être à l'origine de ces rumeurs ? L'argent de sa trahison ayant transité par la banque Danglars, le banquier pouvait très bien être l'inspirateur de ces révélations. Mais pourquoi ?

– Ah ! Monsieur de Monte-Cristo, finalement, dit Fernand en répondant au salut d'Edmond. Vous savez que tout Paris ne parle que de vous. Et de votre charmante esclave. Ceci dit, monsieur le procureur vous dira que l'esclavage est interdit sur le sol français, n'est-ce pas Villefort ?

– Elle ne l'est plus, dit le comte sans laisser à Villefort le temps de répondre, je lui ai rendu sa liberté.

– Il paraît qu'elle est ravissante, dit le savant.

– C'est donc pour cela que vous la cachez, dit encore Morcerf. La verrons-nous jamais ?

– Mais quand il vous plaira, Cher comte, il ne tient qu'à vous de faire sa connaissance. Me ferez-vous l'honneur d'assister en notre compagnie au Guillaume Tell*, à l'Opéra ?

– Avec grand plaisir, Monsieur de Monte-Cristo.

insinuations allusions.

Guillaume Tell (1829) opéra en quatre actes de Gioacchino Rossini.

– C'est entendu, alors ; j'enverrai quelqu'un demain vous remettre vos invitations.

– Merci, dit simplement Morcerf en s'inclinant légèrement.

– Je vous attends dans ma loge, répond le comte en s'inclinant de même ; Haydée y sera.

La soirée bat son plein* lorsque soudain, au milieu du bal, un domestique s'approche de Villefort et lui glisse* quelques mots à l'oreille. Alarmé, le juge cherche rapidement des yeux son épouse, lui fait signe et quitte avec elle précipitamment la salle. Il vient en effet d'apprendre que les parents de sa première épouse, le marquis et la marquise de Saint-Méran sont décédés à quelques heures d'intervalle l'un de l'autre. La nouvelle fait le tour des invités. On s'étonne, on s'interroge, on plaint surtout à mi-mots* Valentine, leur petite-fille, qui n'est pas aimée de la seconde épouse du procureur. Elle sera bien malheureuse, la pauvre, madame de Villefort n'a d'affection que pour son fils, Edouard. Quant au fils de l'armateur Morrel, maintenant que la jeune fille hérite de la fortune de ses grands-parents, il n'a plus aucune chance. À moins que son grand-père paternel ... Monte-Cristo écoute les conversations sans y prendre part.

Un vieil homme à l'écart, assis dans un fauteuil roulant*, attire son attention.

– Qui est ce vieux monsieur, demande-t-il à Albert.

– C'est le père de monsieur de Villefort, comme son nom ne l'indique pas car il s'appelle Noirtier, dit Albert ; curieux, n'est-ce pas, un fils qui ne porte pas le même nom que son père ?

Noirtier ! La lettre ! « Voilà donc finalement l'homme qui, sans le

bat son plein est au comble de l'intensité.
lui glisse lui dit.
à mi-mots à mots couverts.
fauteuil roulant siège dotée de roues pour handicapé physique.

savoir, est à l'origine de mes malheurs », murmure Edmond.

– Voulez-vous faire sa connaissance ? demande Albert.

– Non, je vous remercie, répond Monte-Cristo qui, quelques instants plus tard quitte le bal.

Le lendemain, le fidèle domestique de Noirtier, lui annonce qu'un visiteur attend dans l'antichambre.

– Qui est-ce ?

– Monsieur le comte de Monte-Cristo.

– Qu'il entre ! dit Noirtier curieux de savoir ce que lui veut cet étrange personnage.

À peine entré, le comte lui dévoile sa véritable identité et lui raconte tout: l'empereur, la lettre, la dénonciation, l'interrogatoire, le château d'If. Noirtier lui apprend le reste. Héloïse de Villefort, la seconde épouse du procureur, a élaboré un plan diabolique pour éliminer toute la famille de son mari, afin que son fils Edouard en soit le seul héritier. Son arme ? le poison.

– Elle a commencé par moi, dit Noirtier ; mais mon médecin, appelé à temps, est parvenu à me sauver.

– Et les Saint-Méran ? demande le comte.

– Malheureusement, ils n'ont pas eu autant de chance que moi.

– Cette femme est un démon, croyez-moi, Valentine sera sa prochaine victime. Mais que puis-je faire ? Mon fils n'éprouve qu'indifférence pour cette enfant qu'il veut marier contre son gré* au fils d'un de ses amis royalistes, et moi, comme vous voyez, je suis paralysé.

– Votre fils est-il au courant des agissements de son épouse ?

– Non, bien sûr.

contre son gré contre sa volonté.

– Dans ce cas, pourquoi n'allez-vous pas tout raconter à la police ?

– Mais vous n'y songez pas ! Le père du procureur du roi accusant la femme de son propre fils, on ne me croira jamais ! Et puis, il faut des preuves ! Aidez-moi, Monte-Cristo, je vous en supplie, je n'ai plus que cette enfant, elle n'a plus que moi ; vous avez tant souffert, je suis prisonnier comme vous l'avez été, prisonnier de mon âge, prisonnier de mon corps. vous seul pouvez comprendre ma peine*.

Dans un premier temps, les révélations du vieux Noirtier laissent Monte-Cristo indifférent. Pourquoi devrait-il porter secours à la fille de l'homme qui l'a laissé croupir* quatorze ans en prison, qui lui a volé sa vie, son seul amour, Mercédès ? Mais le souvenir du jeune Maximilien Morrel qu'il sait amoureux de Valentine adoucit son regard.

– Soit, dit-il à Noirtier ; en souvenir de l'estime et de l'affection que la famille Morrel a témoigné à Edmond Dantès, je tâcherai* de faire le bonheur de son fils. Et par conséquent, celui de votre petite-fille.

Le temps presse. Monte-Cristo s'introduit le soir même chez les Villefort et pénètre dans la chambre de leur fille.

– Qui êtes-vous ? Comment êtes-vous entré ? s'exclame Valentine, blottie au fond de son lit.

– Chut ! Ne craignez rien, je suis un ami de votre grand-père.

Et Monte-Cristo révèle alors à la jeune fille que sa vie est en grand danger.

– On cherche à vous empoisonner, Mademoiselle.

– M'empoisonner ? Mais qui ?

– N'avez-vous jamais vu entrer quelqu'un la nuit dans votre chambre ?

– Non.

– Ainsi, vous ne connaissez pas la personne qui en veut à votre vie ?

peine ici, douleur.

croupir être obligé de vivre dans un lieu dégradant (prison, camp de concentration, etc.).

je tâcherai je vais faire tout mon possible.

– Non, pourquoi quelqu'un désirerait-il ma mort ?

– Voilà minuit qui sonne, c'est l'heure des assassins, dit Monte-Cristo ; feignez le sommeil*, et vous verrez Valentine, vous comprendrez !

Quelques instants plus tard, Valentine voit sa belle-mère entrer dans sa chambre et verser le contenu d'une fiole* dans le verre posé sur sa table de chevet*.

– Eh bien, demande le comte, en entrant plus tard dans la chambre de la jeune fille, doutez-vous encore ?

– Ô mon Dieu ! murmure la jeune fille.

– Qu'y a-t-il normalement dans ce verre, Valentine ?

– Une potion que me prépare mon docteur. Je dois la boire chaque matin à mon réveil.

Oh, je suis perdue !

– Soyez sans crainte, vous vivrez, Valentine vous vivrez pour aimer et être aimée, vous vivrez pour être heureuse et rendre heureux Maximilien. Mais, pour cela, vous devez me faire confiance.

– Ordonnez, Monsieur, que faut-il faire ?

– Il faut prendre aveuglément ce que je vais vous donner, dit le comte en vidant le verre rempli par madame de Villefort dans un flacon.

– Mon Dieu ! mon Dieu ! dit-elle, que va-t-il m'arriver ?

– Quoi qu'il vous arrive, Valentine, ne vous épouvantez point ; si vous souffrez, si vous perdez la vue, l'ouïe*, le tact, ne craignez rien ; si vous vous réveillez sans savoir où vous êtes, n'ayez pas peur, et dites-vous : en ce moment, un ami, un père, un homme qui veut mon bonheur et celui de Maximilien veille sur moi.

Le comte tire alors de la poche de son gilet une petite pastille ronde. « Les enseignements de l'abbé Faria n'auront pas été vains*, pense-t-il,

feignez le sommeil faites semblant de dormir.
fiole petite bouteille, flacon.
table de chevet petite table située à côté d'un lit.
ouïe le sens qui permet d'entendre les sons.

en la tendant à Valentine ; sans les leçons de chimie de mon vieil ami je n'aurais jamais pu sauver cet enfant. » La jeune fille avale la pastille sans quitter des yeux le comte.

– Soyez sans crainte, Valentine, je veille sur vous.

Il y a sur les traits de cet intrépide* protecteur un reflet de la majesté et de la puissance divines. Quelques minutes plus tard, la jeune fille dort d'un profond sommeil.

Au matin, madame de Villefort entre dans la chambre de Valentine pour voir l'effet du breuvage. Elle découvre le verre vide et voit la jeune fille sans vie, un bras pendant hors du lit. « Elle est morte, se dit-elle. Finalement ! Mon fils est désormais le seul héritier. »

Quelques instants plus tard, un cri strident résonne dans toute la demeure.

Puis, descendant en courant l'escalier : « Au secours ! s'écrie l'empoisonneuse; au secours ! Valentine est morte ! »

Profitant de l'agitation, Monte-Cristo pénètre dans la chambre de la jeune fille et verse dans le verre vide le contenu du flacon qu'il avait conservé.

Immédiatement appelé au chevet de la pauvre jeune fille, le docteur ne peut que constater le décès* de Valentine de Villefort. Un détail cependant intrigue* le praticien : le liquide dans le verre posé à côté de la jeune fille ne ressemble en rien à la potion qu'il lui a prescrite.

– J'emporte ce verre, dit le docteur, pour en analyser le contenu.

« Mais ce verre était vide, j'en suis sûre ! Comment a-t-il pu se remplir ? Qui ? » Affolée, impuissante, l'empoisonneuse regarde le docteur emporter la preuve de sa culpabilité.

vains inutiles.
intrépide qui n'a peur de rien.
décès mort.
intrigue suscite la perplexité.

Compréhension et production écrite

1 Réponds aux questions.

Pourquoi le comte de Monte-Cristo est-il invité au grand bal des Morcerf ?

....

Sous quel(s) prétexte(s) la comtesse de Morcerf entraîne-t-elle Monte-Cristo hors du salon ?

....

En réalité pourquoi veut-elle être seule avec lui ?

....

Comment s'y prend-elle pour le mettre à l'épreuve ?

....

Monte-Cristo accepte-t-il son geste d'amitié ?

....

Sous quel prétexte ?

....

En réalité, pourquoi refuse-t-il ce qu'elle lui offre ?

....

Qu'est-ce qui préoccupe les amis du comte de Morcerf ?

....

Pourquoi Fernand est-il le plus inquiet ?

....

Quel événement tragique vient troubler le bal ?

....

Pourquoi Monte-Cristo rend-il visite à Noirtier ?

....

Que lui apprend le vieil homme ?

....

ACTIVITÉ DE PRÉ-LECTURE

Grammaire du texte

2a Complète le texte avec des pronoms personnels (sujets et/ou compléments) ou relatifs.

Albert,

Je sais que vous partez sans rien emporter et que votre mère .... accompagne. Comment je .... ai appris, ne cherchez point à .... découvrir. Je .... sais : voilà tout. Écoutez, Albert.

Il y a vingt-quatre ans, je revenais bien joyeux et bien fier dans ma patrie. J'avais une fiancée, Albert, une sainte jeune fille .... j'adorais, et je .... rapportais cent cinquante louis amassés péniblement par un travail sans relâche. Cet argent était pour ...., je .... destinais, et sachant combien la mer est perfide, j'avais enterré notre trésor dans le petit jardin de la maison .... mon père habitait à Marseille. Votre mère, Albert, connaît bien cette pauvre chère maison. Dernièrement, en venant à Paris, j'ai passé par Marseille. Je suis allé .... voir cette maison aux douloureux souvenirs ; et le soir, une bêche à la main, j'ai sondé le coin .... j'avais enfoui mon trésor. La cassette de fer était encore à la même place, personne n'y avait touché ; .... est dans l'angle .... un beau figuier, planté par mon père le jour de ma naissance, couvre de son ombre. Eh bien, Albert, cet argent .... autrefois devait aider à la vie et à la tranquillité de cette femme .... j'adorais, voilà qu'aujourd'hui, par un hasard étrange et douloureux, il a retrouvé le même emploi. Oh ! comprenez bien ma pensée, à .... pourrais offrir des millions à cette pauvre femme, et .... rends seulement le morceau de pain noir oublié sous mon pauvre toit depuis le jour .... j'ai été séparé d' .... Vous êtes un homme généreux, Albert, ne soyez pas aveuglé par la fierté ou par le ressentiment, ne refusez pas l'aide d'un homme .... votre père a fait mourir le sien dans les horreurs de la faim et du désespoir.

Production orale

2b À ton avis, qui a écrit cette lettre ? Pourquoi Albert et sa mère quittent-ils la maison familiale ? Que va devenir Fernand Mondego, comte de Morcerf ?

Chapitre 9

Expiation

Quelques jours plus tard, comme convenu, Le comte et la comtesse de Morcerf se rendent à* l'Opéra. Monte-Cristo les accueille dans sa loge et leur présente Haydée. En apercevant Fernand, la jeune fille pousse un cri strident :

– C'est lui ! dit-elle avant de s'évanouir* dans les bras du comte.

Dans la salle, c'est la stupeur*. Sans un mot, Morcerf quitte la loge. Quant à Mercédès, elle regarde Monte-Cristo sans comprendre. La première surprise passée, Albert entre comme un fou dans la loge.

– Bonsoir, Monsieur de Morcerf, dit cordialement le comte. Nous n'attendions que vous.

– Je ne suis pas venu pour échanger d'hypocrites politesses ou de faux-semblants* d'amitié, dit le jeune homme ; je viens vous demander une explication, Monsieur le comte.

La voix tremblante du jeune homme a de la peine à passer entre ses dents serrées.

– Qu'est-ce qui vous prend*, Monsieur ? dit Monte-Cristo sans la moindre émotion apparente. Vous ne semblez pas jouir de* votre bon sens.

– Pourvu que je comprenne vos perfidies*, Monsieur, et que je parvienne à vous faire comprendre que je veux m'en venger, je serai toujours assez raisonnable, dit Albert, et il tend à Monte-Cristo un journal :

se rendent à vont à.
s'évanouir perdre connaissance.
stupeur grand étonnement.
faux-semblants feintes.
qu'est-ce qui vous prend que vous arrive-t-il ?
jouir de avoir, être en possession de.
perfidies actions déloyales.

On nous écrit de Janina :
Un fait jusqu'alors ignoré, ou tout au moins inédit, est parvenu à notre connaissance ; les châteaux qui défendaient la ville ont été livrés aux Turcs par un officier français dans lequel le vizir Ali Pacha avait mis toute sa confiance, et qui s'appelait Fernand.

Le journaliste qui m'a remis ce journal à paraître demain est un ami; il m'a avoué le nom de son informateur.

– Ah oui, dit le comte, sans rien perdre de son flegme.

– Vous ! s'écrie Albert en essayant de lui jeter son gant à la figure. C'est vous qui depuis des mois faites circuler ces calomnies* sur mon père !

– C'est une coutume mauvaise que de faire du bruit en provoquant. Le bruit ne va pas à tout le monde, Monsieur de Morcerf, dit le comte en saisissant le gant du jeune homme.

À ce nom, un murmure d'étonnement était passé comme un frisson dans l'assistance. Depuis des mois, le nom de Morcerf était dans toutes les bouches.

– Monsieur, dit le comte avec un accent terrible, je tiens votre gant pour jeté, et je vous l'enverrai roulé autour d'une balle*. Sortez immédiatement de ma loge, ou j'appelle mes domestiques et je vous fais jeter à la porte. Et maintenant, chut! voici la toile* qui se lève, laissez-moi écouter. J'ai l'habitude de ne pas perdre une note de cet opéra; c'est une si adorable musique que celle de *Guillaume Tell* !

▶ 10 Au milieu de la nuit, une femme voilée se présente chez Monte-Cristo. Elle le surprend un pistolet à la main.

– Que me voulez-vous, Madame?

calomnies médisances.
balle projectile d'arme à feu (de pistolet, de fusil).
toile ici, rideau de scène.

– Edmond, dit l'inconnue, vous ne tuerez pas mon fils !

– Quel nom avez-vous prononcé, là, Madame de Morcerf ? dit-il.

– Le vôtre ! s'écrie Mercédès, celui que seule, peut-être, je n'ai pas oublié. Edmond, ce n'est pas monsieur de Morcerf qui vient à vous, c'est Mercédès.

– Mercédès est morte, Madame, dit Monte-Cristo, et je ne connais plus personne de ce nom.

– Mercédès vit, Monsieur, et Mercédès se souvient, car seule elle vous a reconnu lorsqu'elle vous a vu, et même sans vous voir, à votre voix, Edmond, au seul accent de votre voix. Pourquoi vous venger sur mon fils alors que la coupable c'est moi, Edmond.

– Non dit le comte, c'est votre mari. J'ai été arrêté, parce que la veille même du jour où je devais vous épouser, un homme, nommé Danglars, a écrit une lettre m'accusant d'être un agent bonapartiste que le pêcheur Fernand se chargea lui-même de mettre à la poste.

– Oh ! mon Dieu ! dit Mercédès en passant la main sur son front mouillé de sueur, toutes ces années passées auprès d'un homme qui m'a toujours menti.

– Pourquoi l'avez-vous épousé, Madame ?

– J'ai tant essayé d'avoir de vos nouvelles ; monsieur Morrel a fait l'impossible pour savoir où vous étiez. Mais rien. Tout le monde vous croyait mort ; peut-être l'étiez-vous ? Pouvais-je imaginer que…

– Il fallait m'attendre, Madame.

– Mon Dieu, Edmond, dit la pauvre mère essayant par tous les moyens de sauver son fils : quand je vous appelle Edmond, pourquoi ne m'appelez-vous pas Mercédès ?

– Mercédès, Mercédès ! Eh bien ! oui, vous avez raison, ce nom m'est doux encore à prononcer, dit le comte. Ô Mercédès, votre nom, je l'ai prononcé avec les soupirs de la mélancolie, avec les gémissements* de la douleur, avec le râle* du désespoir ; je l'ai prononcé, glacé par le froid, accroupi sur la paille de mon cachot ; je l'ai prononcé, dévoré par la chaleur, en me roulant sur les dalles de ma prison. Mercédès, il faut que je me venge, car quatorze ans j'ai souffert, quatorze ans j'ai pleuré, j'ai maudit ; maintenant, je vous le dis, Mercédès, il faut que je me venge !

– Vengez-vous, Edmond ! mais vengez-vous sur les coupables; vengez-vous sur lui, vengez-vous sur moi, mais ne vous vengez pas sur mon fils !

– Soit, dit le comte, votre fils vivra; mais sachez que je préférerai toujours la mort au déshonneur.

– Que voulez-vous dire, Edmond?

– Adieu, Madame.

À l'aube, le jeune Albert de Morcerf et Monte-Cristo se retrouvent face à face, un pistolet à la main.

Monsieur, dit Albert, d'une voix tremblante, ma mère m'a tout dit. La trahison de Fernand Mondego envers Ali Pacha est grave, mais la trahison du pêcheur Fernand envers vous, et les malheurs inouïs qui ont été la suite de cette trahison est un crime. Aussi je le dis: oui, Monsieur, vous avez eu raison de vous venger de mon père, et moi, son fils, je vous remercie de n'avoir pas fait plus !

Monte-Cristo, l'œil humide, la poitrine haletante*, la bouche entrouverte, tend à Albert une main que celui-ci saisit et presse avec un sentiment de profonde reconnaissance.

– Un ange seul pouvait sauver l'un de nous de la mort, dit encore

gémissements plaintes.
râle son rauque qui sort de la bouche des personnes à l'agonie ; ici, emploi figuré.
haletante qui trahit une respiration irrégulière, saccadée.

Albert; et l'ange est descendu du ciel, sinon pour faire de nous deux amis, hélas ! la fatalité rend la chose impossible, mais tout au moins deux hommes qui s'estiment.

– Cet ange, je le connais, murmure Monte-Cristo; c'est Mercédès, votre mère: elle vient de nous sauver la vie à tous les deux.

L'après-midi du même jour, Monte-Cristo conduit Haydée à la Chambre des pairs où les accusations portées contre monsieur de Morcerf sont à l'ordre du jour. Par défi, Fernand, l'ancien pêcheur, est présent à la séance. Le président, grave, lit le message suivant:

J'étais sur les lieux à la mort d'Ali-Pacha ; j'ai assisté à ses derniers moments ; je suis sa fille ; je me tiens à la disposition de la commission, et réclame même l'honneur de me faire entendre. Je serai dans le vestibule de la Chambre au moment où l'on vous remettra ce billet.

Haydée, invitée à s'expliquer, apporte les preuves de la trahison du colonel Fernand Mondego. Anéanti par les révélations de la jeune fille, l'assassin de son père quitte la salle comme un homme ayant perdu la raison.

– Monte-Cristo ! hurle Fernand quelques instants plus tard en entrant comme une furie dans la demeure du comte.

Eh ! c'est Monsieur de Morcerf, dit tranquillement Monte-Cristo ; je croyais avoir mal entendu.

– Oui c'est moi-même, dit Fernand.

– Il ne me reste donc qu'à savoir maintenant, dit Monte-Cristo, la cause qui me procure le plaisir de vous voir.

– J'ai su que mon fils a refusé de se battre avec vous; vous vous battrez donc avec le père, hurle Fernand. Jusqu'à la mort de l'un de nous deux. Partons, nous n'avons pas besoin de témoins.

– En effet, dit Monte-Cristo, c'est inutile, nous nous connaissons si bien !

Oh ! je sais bien, démon, que tu as pénétré dans la nuit du passé, et que tu y as lu chaque page de ma vie, mais toi, qui es-tu ? Et d'où te viens ta richesse ?

– Qui je suis? Ne le devines-tu pas? Regarde-moi ! Ne reconnais-tu pas celui que tu as trahi la veille de son mariage avec Mercédès?

– Edmond Dantès !

Plus horrifié que s'il avait vu un fantôme, Fernand sort à reculons* de la pièce et se jette comme un fou dans l'escalier.

« À l'hôtel* ! à l'hôtel ! » dit-il à son domestique en s'engouffrant dans la voiture qui l'attendait dans la cour.

En arrivant chez lui, le comte de Morcerf est méconnaissable. Il croise* Mercédès et son fils au moment où ceux-ci quittent l'hôtel.

– Du courage, ma mère! Venez, nous ne sommes plus ici chez nous, entend-il dire Albert.

À l'instant même où le fiacre* s'apprête à partir, un coup de feu retentit dans la chambre à coucher : Fernand vient de se suicider.

Deux jours plus tard, à l'enterrement de Valentine de Villefort, Monte-Cristo rencontre Maximilien Morrel qui lui fait part de son intention de rejoindre sa fiancée. Edmond lui révèle alors sa véritable identité et lui demande d'attendre un mois avant de mettre fin à ses jours*. En le quittant, il lui donne rendez-vous sur l'île dont il porte le nom.

Entre temps, les analyses du médecin ont apporté la preuve de la culpabilité d'Héloïse, l'épouse de Villefort. Les recherches effectuées

à reculons en marche arrière, sans se retourner.
croise rencontre.
hôtel ici, 'hôtel particulier', résidence nobiliaire.
fiacre voiture de ville.
mettre fin à ses jours se suicider.

dans l'appartement ont permis de récupérer la fiole dont elle se servait pour empoisonner les membres de sa famille. Mais Villefort par crainte d'un scandale qui compromettrait sa carrière, décide de ne pas dénoncer sa femme. La solution qu'il lui propose devrait lui permettre de sauver son honneur.

– Voici le poison dont vous vous servez d'habitude, Madame, dit Villefort à son épouse après l'avoir confondue*.

– Non, non, supplie-t-elle, non, vous ne voulez pas cela !

– Ce que je veux, c'est que justice soit faite. Je suis sur terre pour punir, Madame, ajoute le juge avec un regard flamboyant.

– Oh ! pardonnez-moi, Monsieur, laissez-moi vivre ! Songez que je suis votre femme !

– Vous êtes une empoisonneuse !

– Au nom du Ciel ! ...

– Non !

– Au nom de l'amour que vous avez eu pour moi ! ...

– Non ! non !

– Au nom de notre enfant ! Ah ! pour notre enfant, laissez-moi vivre !

– Songez-y, Madame, dit Villefort en quittant la pièce; si à mon retour justice n'est pas faite, je vous dénonce de ma propre bouche et je vous arrête de mes propres mains.

Quelques heures plus tard, Villefort découvre son épouse morte et son fils, lui aussi sans vie. Sur la poitrine d'Edouard, un papier plié en quatre contient ces mots:

> *Vous savez que j'étais bonne mère, puisque c'est pour mon fils*
> *que je me suis faite criminelle !*
> *Une bonne mère ne part pas sans son fils !*

confondue démasquée.

C'est trop. Villefort ne peut en croire ses yeux; Villefort ne peut en croire sa raison. Des éclairs de folie traversent son regard. Il chancelle*. Le comte de Monte-Cristo apparaît alors.

– Vous ici ! dit Villefort; que venez-vous faire?

– Je viens vous dire que vous m'avez assez payé votre dette*.

– Quelle dette ? dit le magistrat en regardant fixement le comte.

– Celle que j'ai dû payer moi-même pour sauver votre carrière et votre mariage, il y a bien longtemps, à Marseille.

– Ah ! je te reconnais, je te reconnais ! dit le procureur du roi ; tu es...

– Je suis Edmond Dantès !

– Tu es Edmond Dantès ! s'écrie le juge en saisissant le comte par le poignet ; alors, viens ! Et regarde, Edmond Dantès, regarde ! es-tu bien vengé ?

Monte-Cristo voit les deux corps sans vie et pâlit à cet effroyable spectacle. Il comprend qu'il a outrepassé les droits de la vengeance. Arrivé au sommet, il voit à présent de l'autre côté de la montagne l'abîme du doute. A-t-il eu raison de s'acharner sur ces misérables ? Fernand suicidé, Villefort en proie à la folie, Danglars ...

« Il n'en reste qu'un, essayons de sauver le dernier », se dit Edmond en s'embarquant pour Civitavecchia.

Dans sa prison romaine, Danglars qui a depuis bien longtemps épuisé ses millions, meurt lentement de faim.

Un homme enveloppé dans un manteau pénètre un soir dans sa cellule.

– Prenez l'argent qui me reste, balbutie Danglars à demi fou en tendant son portefeuille, et laissez-moi vivre ici, dans cette caverne; je ne demande plus la liberté, je ne demande qu'à vivre.

– Vous souffrez donc tant ? demande l'homme au manteau.

– Oh! oui, je souffre, et cruellement.

chancelle titube.

dette créance ; somme d'argent que l'on doit à quelqu'un ; ici, préjudice moral.

– Il y a cependant des hommes qui ont encore plus souffert que vous.

– Je ne crois pas.

– Si ! Moi. Et un vieil homme que vous avez fait mourir de désespoir. Vous repentez-vous, au moins ?

– De quoi faut-il que je me repente ?

– Du mal que vous avez fait, dit la même voix.

– Oh ! oui, je me repens ! je me repens ! s'écrie Danglars sans comprendre.

– Alors je vous pardonne, dit l'homme en jetant son manteau et en faisant un pas pour se placer dans la lumière.

– Le comte de Monte-Cristo ! dit Danglars, plus pâle de terreur qu'il ne l'était, un instant auparavant, de faim et de misère.

– Vous vous trompez ; je ne suis pas le comte de Monte-Cristo.

– Et qui êtes-vous donc ?

– Je suis celui que vous avez vendu, livré, déshonoré ; je suis celui dont vous avez prostitué la fiancée ; je suis celui sur lequel vous avez marché pour vous hausser jusqu'à la fortune; je suis celui dont vous avez fait mourir le père de faim, qui vous avait condamné à mourir de faim, et qui cependant vous pardonne, parce qu'il a besoin lui-même d'être pardonné : je suis Edmond Dantès !

Danglars pousse un cri, et tombe prosterné.

– Relevez-vous, dit le comte, vous avez la vie sauve ; vos deux autres complices n'ont pas eu autant de chance ! Gardez le peu d'argent qui vous reste; quant à vos cinq millions volés aux hospices, ils leur seront restitués. Et maintenant, mangez et buvez, quand vous serez rassasié, Vampa vous libérera.

Épilogue

11 Fidèle à sa promesse, Maximilien Morrel se rend sur l'île de Monte-Cristo un mois jour pour jour après l'enterrement de Valentine. Quelle n'est pas sa surprise lorsqu'il voit la jeune fille s'avancer vers lui sur la plage. Valentine vivante, alors qu'il a assisté à son enterrement ?! Il n'en croit pas ses yeux. Et pourtant, c'est bien elle. Sa fiancée lui raconte alors comment Monte-Cristo est apparu une nuit dans sa chambre lui dévoilant tous les crimes de sa marâtre*, la tentative d'empoisonnement qu'elle s'apprêtait à commettre, et la fausse mort qui lui a en réalité sauvé la vie. Tout le monde y a cru, même lui, mais il le fallait. C'était le seul moyen de confondre l'empoisonneuse. Et Noirtier qui aimait tant sa petite-fille, qui lui dira qu'elle est en vie ? Le comte a promis qu'il l'avertirait dès que ses jours ne seraient plus en danger. « Je sais qu'il tiendra parole », dit Valentine en pensant à son cher grand-père. Pendant qu'ils marchent ainsi sur le rivage, tendrement enlacés, ils voient un homme s'avancer vers eux.

– Ne craignez rien, dit-il, je suis un ami de Monsieur le comte.

– Vous avez quelque chose à nous dire ? demande Maximilien.

– Je dois vous remettre cette lettre de sa part.

Morrel ouvre la lettre et la lit à voix haute:

Mon cher Maximilien,

Il y a une felouque pour vous à l'ancre. L'homme qui vous a remis cette

marâtre femme qui maltraite les enfants nés d'un précédent mariage de son mari.

lettre vous conduira à Livourne, où M. Noirtier attend sa petite-fille, qu'il veut bénir avant qu'elle vous suive à l'autel. Dites à l'ange qui va veiller sur votre vie, de prier quelquefois pour un homme qui, pareil à Satan, s'est cru un instant l'égal de Dieu, et qui a reconnu, avec toute l'humilité d'un chrétien, qu'aux mains de Dieu seul sont la suprême puissance et la sagesse infinie. Ces prières adouciront peut-être le remords qu'il emporte au fond de son coeur.

Vivez donc et soyez heureux, enfants chéris de mon coeur, et n'oubliez jamais que, jusqu'au jour où Dieu daignera dévoiler l'avenir à l'homme, toute la sagesse humaine sera dans ces deux mots :

Attendre et espérer !

Votre ami.

EDMOND DANTÈS
Comte de Monte-Cristo

– Où est le comte, mon ami ? dit Maximilien après avoir lu la lettre; conduisez-moi vers lui.

L'inconnu étend la main vers l'horizon.

– Quoi ! que voulez-vous dire ? demande Valentine. Où est le comte ? où est Haydée ?

– Regardez, dit l'homme.

Les yeux des deux jeunes gens aperçoivent alors au loin une voile blanche, grande comme l'aile d'un goéland.

« Parti ! s'écrie Morrel ; parti ! Adieu, mon ami, mon père ! Qui sait si nous les reverrons jamais ? dit le jeune homme en essuyant une larme.

– Mon ami, dit Valentine, le comte ne vient-il pas de nous dire que l'humaine sagesse était tout entière dans ces deux mots : « Attendre et espérer ! »

Alexandre Dumas

Alexandre Dumas et ses personnages.

Profil d'une oeuvre

La vie d'Alexandre Dumas est une aventure littéraire au même titre que ses drames romantiques, ses romans historiques, ses chroniques, son *Dictionnaire de cuisine*, même. Des 600 ou 606 (les spécialistes hésitent) volumes qu'il fit paraître, il est à la fois l'auteur et l'acteur d'une œuvre qu'il vit au jour le jour, surmontant la discrimination, le sarcasme de la critique, les difficultés financières, la faillite de ses théâtres, porté par un public enthousiaste qui ne lui a jamais fait défaut.

L'historien du peuple

Témoin de son temps, Dumas, fils d'un général métis de la Révolution, petit-fils d'une esclave noire de Saint-Domingue, sera chaque fois présent aux rendez-vous de l'actualité : aux journées de juillet 1830, en février 1848, en 1860 au côté de Garibaldi. Sa passion de l'événement fera de lui l'inventeur du roman historique en France ; grâce à lui, le public de son époque découvre les coulisses de la Guerre de Cent Ans (*La Comtesse de Salisbury*, 1839), le destin singulier d'une reine de France (*La reine Margot*, 1845), les luttes au sommet de l'État au temps de Louis XIII (*Les trois mousquetaires*, 1844) ou le scandale qui précède la Révolution (*Le collier de la Reine*, 1850). À ceux qui lui reprochent de trahir quelque peu l'histoire, il répond : « Certes, mais je lui fais de beaux enfants ». Et Michelet, le premier historien des temps modernes, l'approuve : « Vous avez plus appris d'histoire au peuple que tous les historiens réunis ».

Alexandre Dumas (1802-1870).

Monte-Cristo, un mythe universel

Le *Comte de Monte-Cristo* (1845), est son roman le plus personnel. Quoique tirés d'un fait-divers authentique consigné dans les archives de la police de Paris, Edmond Dantès et son double, le *Comte de Monte-Cristo*, dépassent le cadre historique contemporain dans lequel ils évoluent et nous plongent au cœur de mythes universels où se trouvent réunis tous les avatars de la condition humaine : la trahison, la fatalité, l'injustice, la richesse inespérée, l'obsession de la toute-puissance, la vengeance, le châtiment, le remords.

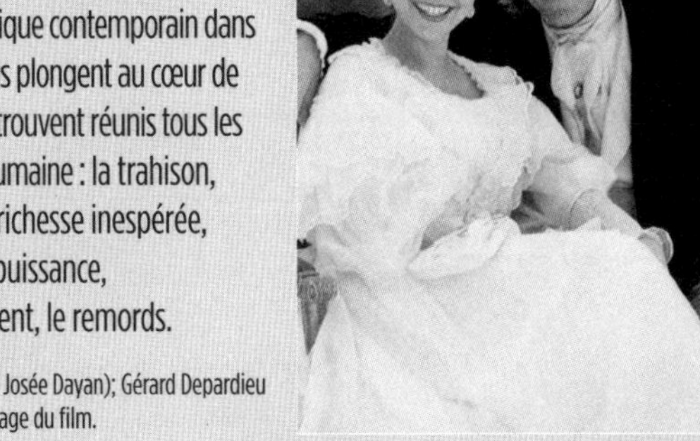

Le *Comte de Monte-Cristo* (1998, Josée Dayan); Gérard Depardieu et Ornella Muti pendant le tournage du film.

« Attendre et espérer »

Seule différence avec la tragédie, le dénouement qui, s'il laisse derrière lui son lot de morts et de drames, donne une dernière chance aux survivants. « Attendre et espérer », dit le comte, vaincu par sa propre vengeance, en quittant son œuvre ; pour Dumas, cette attente et cet espoir dureront deux siècles. l'écrivain aux 32267 personnages, le petit-fils d'une esclave noire, l'auteur jalousé, méprisé, vilipendé par la critique de son temps, entrera finalement au Panthéon en 2002, escorté par ses Mousquetaires. Ce jour-là, comme le dira Jacques Chirac dans son discours « la République a réparé une injustice ».
La littérature aussi.

Profil d'une vie

1802 Naissance à Villers-Cotterêts, (Aisne). Son père, né esclave à Saint-Domingue (aujourd'hui Haïti), sera général sous la Révolution.

1823 Paris. Après de courtes études, Dumas trouve un emploi au secrétariat du duc d'Orléans, le futur Louis-Philippe.

1829 Henri III et sa cour, premier drame romantique en France. Un triomphe pour Dumas qui se lie d'amitié avec Victor Hugo.

1838 Dumas fait la connaissance d'Auguste Maquet, professeur d'histoire, avec lequel il écrira ses plus célèbres romans.

1860 Dumas rencontre Garibaldi et rejoint les Chemises rouges en Sicile avec une cargaison de fusils.

1870 Affaibli par la maladie, Dumas s'installe chez son fils en Normandie, où il meurt le 5 décembre.

2002 Ses cendres sont transférées au Panthéon.

1815-1848 Du « Mal de vivre » à la révolte et à l'engagement, les métamorphoses du héros

Anne-Louis Girodet-Trioson, *L'Apothéose des Héros français morts pour la patrie pendant la guerre de la Liberté* (début du XIXe siècle).

La conscience de soi

L'apparition d'un nouvel état d'âme caractérise le début du XIXe siècle en littérature. En même temps que les révolutionnaires inventent la notion de 'Peuple', de 'Nation', codifient les 'droits de l'Homme et du Citoyen'(1789), une nouvelle sensibilité apparaît. Angoisse, tristesse, mélancolie, amours impossibles ... les premiers auteurs de ce courant littéraire qu'il est convenu d'appeler le romantisme, expriment, souvent à la première personne, les souffrances contradictoires de leur Moi, un mal de vivre que résume ainsi Chateaubriand, le principal représentant de cette période : « On habite avec un cœur plein un monde vide, et sans avoir usé de rien on est désabusé de tout ». (*Le génie du christianisme*, 1802.) Désemparé, impuissant, incapable de vivre dans la société des hommes, le poète romantique se réfugie dans la solitude d'une nature sauvage à laquelle il s'identifie, et où il goûte ses rares instants de bonheur.

Les souffrances du Moi

« J'avais , je crois, quatorze, quinze et dix-sept ans, lorsque je vis Fontainebleau. Après une enfance casanière, inactive et ennuyée, si je sentais en homme à certains égards, j'étais enfant à beaucoup d'autres. Embarrassé, incertain; pressentant tout peut-être, mais ne connaissant rien ; étranger à ce qui m'environnait, je n'avais d'autre caractère décidé que d'être inquiet et malheureux. La première fois je n'allai point seul dans la forêt; je me rappelle peu ce que j'y éprouvai, je sais seulement que je préférai ce lieu à tous ceux que j'avais vus, et qu'il fut le seul où je désirai de retourner. »

Senancour, Oberman, Lettre XI (1804).

Les enfants de Napoléon

L'épopée napoléonienne, avec ses conquêtes, ses victoires, sa défaite même, va amplifier ce phénomène et lui imprimer une nouvelle dimension que René (Chateaubriand, *René* 1802) Adolphe (Benjamin Constant, *Adolphe*, 1806), Oberman, héros déchirés, enfermés dans leur souffrance égocentrique, avaient ignoré :
c'est la naissance du héros romantique, tel que le mettront en scène vingt, trente ans plus tard Alfred de Vigny, Alphonse de Lamartine, Victor Hugo, Alfred de Musset ou Alexandre Dumas.
Prise au piège de la Restauration et d'une royauté anachronique (1815-1830), déçue et trompée par Louis-Philippe et son apparente monarchie constitutionnelle (1830-1848), la jeunesse romantique se trouve confrontée à une société impitoyablement fermée où règne l'hypocrisie, la cupidité et l'ennui.

Napoléon a Sainte - Helène.

Avoir 20 ans en 1815

Le *Comte de Monte-Cristo* est un roman de jeunes gens. Edmond Dantès, Mercédès, Fernand Mondego, Villefort ont tous une vingtaine d'années au début du récit. Seul Danglars et Caderousse sont un peu plus âgés. Quel est leur état d'âme ? Comment vivent-ils la chute de l'Empire et la Restauration ? Dans *La Confession d'un enfant du siècle*, Alfred de Musset dresse le portrait d'une génération sacrifiée et sépare les futurs adultes en deux catégories : les rêveurs et les réalistes ...

« Alors s'assit sur un monde en ruines une jeunesse soucieuse. [...] Ils avaient rêvé pendant quinze ans des neiges de Moscou et du soleil des Pyramides. Ils n'étaient pas sortis de leurs villes ; mais on leur avait dit que, par chaque barrière de ces villes, on allait à une capitale de l'Europe. Ils avaient dans la tête tout un monde ; ils regardaient la terre, le ciel, les rues et les chemins ; tout cela était vide, et les cloches de leurs paroisses résonnaient seules dans le lointain. [...]
Dès lors, il se forma deux camps : d'une part, les esprits exaltés, souffrants, toutes les âmes expansives qui ont besoin de l'infini, plièrent la tête en pleurant ; ils s'enveloppèrent de rêves maladifs, et l'on ne vit plus que de frêles roseaux sur un océan d'amertume. D'autre part, les hommes de chair restèrent debout, inflexibles, au milieu des jouissances positives, et il ne leur prit d'autre souci que de compter l'argent qu'ils avaient. Ce ne fut qu'un sanglot et un éclat de rire, l'un venant de l'âme, l'autre venant du corps. »
Alfred de Musset, *La Confession d'un enfant du siècle (1836).*

Le printemps des peuples

Mais derrière les banques, les grands magasins, qui naissent à cette époque (Le Bon Marché, 1838), les compagnies du charbon dans le Nord, du fer dans l'Est, ou le développement du train, l'envers du décor montre une réalité sordide: misère, faim et répression, autant de facteurs négatifs qui seront à l'origine d'un nouveau bouleversement de l'ordre social, caractérisé par les émeutes de février 1848 et la proclamation de la Seconde République. Rêve de liberté, d'égalité, de fraternité immédiatement déçu par le coup d'État de Napoléon III, un autre Bonaparte, qui marquera définitivement la fin du romantisme, et ouvrira la voie au roman réaliste et social dont Victor Hugo, exilé pendant les vingt ans de la dictature napoléonienne, sera le grand représentant avec ses *Misérables* (1862), qui commencent précisément alors qu'Edmond Dantès vient d'être enfermé au château d'If, et se terminent au moment où le comte de Monte-Cristo met en œuvre sa terrible vengeance (1832).

Victor Hugo (1802-1885).

Le héros romantique

C'est dans ce contexte de ruine morale et sociale qu'apparaissent les nouveaux héros romantiques ; Rastignac (*Le Père Goriot*, Honoré Balzac, 1835), Cœlio, Octave (Alfred de Musset, *Les Caprices de Marianne*, 1833), Julien Sorel (Stendhal, *Le Rouge et le Noir*, 1830), Rubempré (Honoré Balzac, *Les Illusions perdues*, 1836-1843), sont confrontés à une réalité brutale, un cloisonnement social dont ils s'efforcent vainement de secouer le carcan. Une révolte malheureusement vouée à l'échec : dans une société en plein essor, marquée par la révolution industrielle et la naissance du capitalisme moderne, l'action n'est jamais la sœur du rêve. Seule compte la puissance de l'argent.

La Soirée, Jean Béraud, (1878).

Le papier journal matière première et culture de masse

La première révolution industrielle

À l'époque de Monte-Cristo, Paris expérimente l'éclairage au gaz et les Parisiens se rendent à Versailles en train soit par le rive droite de la Seine, soit par la rive gauche. En 1838, date à laquelle s'achève le roman, on compte plus de cinq cents kilomètres de voies ferrées en France ; et, quatre ans seulement après l'entrée du *Pharaon* dans le port de Marseille, le « Savannah », premier bateau à vapeur, traverse l'Atlantique en 21 jours.

Hall de l'Exposition universelle de Paris en 1900.

La naissance du progrès

Si la révolution économique et sociale qui caractérise l'ensemble du XIXe siècle a donné naissance en France à la grande industrie - industrie du charbon dans le Nord, industrie du fer dans l'Est - les nombreuses inventions qui l'ont accompagnée ont également permis d'améliorer les conditions de vie du peuple en lui offrant notamment la possibilité de lire et de s'instruire. Trois inventions vont donner naissance au papier industriel, première étape de la culture de masse.

Des techniques au service de l'humanité

La première de ces inventions est la machine à papier de Louis Nicolas Robert (1761-1828), qui invente, un an avant la fin du XVIIIe siècle, la bobine de papier. Grâce à sa machine, au lieu d'être confectionné feuille par feuille, le papier sort directement en rouleau. La seconde est l'invention de la presse cyclindrique par Friedrich Koenig et Andreas Bauer (1812), deux entrepreneurs allemands qui mettent fin à plus de trois siècles d'impression à bras et réalisent des tirages de 1000 pages à l'heure. Troisième et dernière étape dans l'industrialisation du papier, la presse rotative de l'Américain Richard Hoe. Cette dernière trouvaille, née deux ans après la publication du comte de Monte-Cristo (1846), permettra d'obtenir des tirages de plus de 90000 feuilles à l'heure.

Émile de Girardin Inventeur de la presse bon marché

En 1836, lorsque Emile de Girardin (1806-1881) lance le premier numéro de son journal *La Presse*, un Français sur trois est encore illettré, un ouvrier gagne 40 sous par jour, un roman ou tout autre ouvrage de lecture coûte 8 francs. C'est dans ce contexte socio-économique qu'Émile de Girardin, journaliste et homme politique, fonde le premier journal des temps modernes. Avisé, Girardin comprend l'intérêt qu'il y aurait à faire appel à des annonceurs pour abaisser les coûts de production, vendre son journal moins cher et augmenter ainsi le nombre des lecteurs: c'est le principe de la publicité écrite telle que nous la connaissons encore aujourd'hui . Son journal lancé, et aussitôt imité, il s'agit à présent de fidéliser ses lecteurs. D'où, deuxième idée géniale de Girardin, le roman-feuilleton, qui consiste à découper un roman en épisodes et à en diluer la lecture sur plusieurs mois. De juillet à septembre 1836 paraît dans son journal *La Comtesse de Salisbury* d'Alexandre Dumas, premier roman-feuilleton de la littérature.

« Je me nomme la Liberté ; tous les gouvernements plus ou moins se nomment l'Arbitraire. » ; E. de Girardin, mars 1880.

Nicéphore Niépce

En 1826, Nicéphore Niépce, physicien français, réalise la première photographie. Cette invention est à l'origine d'une nouvelle forme artistique qui trouvera sa voie dans la représentation de la réalité, et sa principale application ... dans la presse.

BILAN

1 Fernand est mort, Héloïse de Villefort et son fils sont morts, Villefort est devenu fou. Et les autres ? Que sont devenus les survivants de l'implacable vengeance d'Edmond Dantès ?
Lis et complète de leurs noms les paragraphes suivants.

En possession du diamant que lui avait remis l'abbé Busoni, ... contacta un joaillier qui se rendit dans son auberge et acheta la pierre. Fatigué du voyage, celui-ci demanda à passer la nuit à l'auberge. Profitant de son sommeil, Caderousse l'assassina pour conserver la pierre qui lui avait été payée. L'assassin périt lui-même, poignardé par son complice quelques années plus tard alors qu'ils tentaient de cambrioler la demeure du comte de Monte-Cristo.
Comme l'avait ordonné le comte, ... fut servi par Vampa, qui lui fit apporter le meilleur vin et les plus beaux fruits de l'Italie; après quoi il le conduisit hors de Rome et l'abandonna sur la route, en pleine nuit, adossé à un arbre. Il y resta jusqu'au jour, ignorant où il était. Le lendemain matin, il s'aperçut qu'il était près d'un ruisseau : il avait soif, il se traîna jusqu'à lui. En se baissant pour y boire, il vit que ses cheveux étaient devenus blancs.

Après la mort de son mari, ... s'installa à Marseille dans la maison du père d'Edmond. Avant de quitter l'Europe, le comte de Monte-Cristo la rencontra une dernière fois et lui demanda d'accepter le petit 'trésor' que le marin Edmond Dantès avait enfoui pour elle sous le figuier du jardin.

.... de Morcerf changea de nom, s'engagea dans l'armée et partit pour l'Afrique rejoindre un régiment de Spahis.

CONTENUS

Contenu lexical

- Le portrait physique et moral.
- La famille, les amis, les connaissances.
- Les professions, la vie en société.
- L'amour, la haine, la jalousie, les sentiments.
- La justice, le courage, l'honnêteté, les valeurs morales.

Contenu grammatical

- Les déterminants du nom.
- Le féminin et le pluriel des noms et des adjectifs.
- Les adjectifs numéraux cardinaux et ordinaux.
- Les adjectifs et les pronoms indéfinis.
- Les pronoms personnels sujets et compléments.
- Les pronoms relatifs, simples et composés.
- Les adverbes.
- Le présent narratif.
- Les temps du passé.
- Le futur et le conditionnel.
- La voix passive.
- Le participe présent et le gérondif.
- La phrase négative.
- La phrase interrogative directe et indirecte.
- Syntaxe de la phrase simple et complexe.

Julie Valencia